JN057371

今を生き抜くための哲学

モラルコンパス

The Moral Compass

梛 琴葉
Kotoha Nagi

はじめに

哲学を学ぶ私にはよく問われることがあります。「現代社会のさまざまな危機に対して、哲学ができることはなにか」と。未来への希望よりも大きな不安を抱える現代において、私たちが哲学のような人間的指針となる概念について、そのような期待と疑心が入り混じった感情を抱くのは、少しも不思議なことではありません。なぜならば、哲学的・道徳的な病理を引き起こすような社会状況や問題に対し、私たちは哲学が誕生して以来、二千七百年もの間、ずっと立ち向かい続けているからです。

しかし、これは哲学や道徳が役立たないからではありません。それは断言できます。またそれは、時代時代による価値観の問題でもありません。それは、「どう生きるか」という哲学的な問いに対して、私たち人類が誤った行動を起こしてきた結果に過ぎないのです。このことについても、私ははっきりと述べることができます。「哲学と道徳は私たちが生きる上での問題を克服できる」のだと。

現代は、さまざまな面で非常に差し迫った状態にあります。ここ数年、私たちは季節が巡るごとに気候や環境の変化に不安を覚え、経済的な不平等は史上かつてないほど深刻です。戦争や紛争はあいかわらず世界のどこかで起きていて、武器の製造をやめる気配すらありません。地球環境問題や紛争は、命を一つひとつ損なうことで、私たちが大切とする多様性を傷つけ、あらゆる種の絶滅の危機をはらんでいます。地球環境問題の原因がもはや自然の変化によるものだけにあると議論する人は少ないでしょう。毎年新しい武器を製造する費用でおよそ五億人の人たちに一年間、約四千ドルを支給できます。これは多くの途上国においては十分に生活を賄える金額です。軍事費をほんの少し見直すだけで、私たちは世界にある貧困問題を少しでも解消できます。

そのような状況にあるにもかかわらず、私たちはそれを解消するという選択ができていません。そのために必要な普遍的価値を共有できていないのです。多様性が大切だと言いつつ、国籍や宗教、さまざまな価値を超えて共に深く考え、行動するという、「人間として生きる」という選択ができていません。

いまを生きる私たちに必要なのは、共同するための価値を哲学により発見し、実践することです。なぜそうすることが重要なのかを私は本書において分析し、哲学の欠落が私たちになにをもたらし、また私たちからなにを奪っていくのかを示していきたいと思います。私たちの過ちの立て直しを試み、この世に生まれた人間として誰もが幸せになれるような社会に一歩でも近づくことができるあり方を、読者のみなさんと考えていきたいと思います。

本書の構成

本書では諸問題の解決法として哲学と道徳を取り上げます。その理由は、第一に、いま起こっている問題の原因の多くが、私たちの「心の力」にあると考えるからです。そして第二に、哲学は物事の本質を解釈することであり、道徳は解釈された価値の実践であるという観点から、哲学と道徳の両面から諸問題を問い直し、問題や物事の価値に対する向き合い方を鍛え、養うことが、人間らしい人生を送り、人間らしい社会を築くためには、最も重要だと考えるからです。

まず、現代を生きる私たちには、哲学の真意を理解し、哲学により導いた視座（しざ）の一つひとつを共有し、実践する必要があります。共に生きるために必要、かつ基本的な哲学的視座を道徳的側面から問い直すこと、つまり「人間性を養う哲学的視座（The Guiding Star/ Standpoint）」を発見し、「人格の羅針盤（The Moral Compass）」を組み立てていくことが本書の目的です。

本書においては、まず第一章から第五章において、私たちにとって人間として必要な哲学的視座とはなにかを考え、その基礎的な五つの視座でコンパスをつくっていきたいと思います。そして、さらに、そのコンパスを用いる際に重要な二つの視座について考えたいと思います。そのためには、哲学から導き出された価値を実践によって高める道徳がどのような性質をもつのか、また公正や平等、自由といった原則がどのような視座を備えているのかという問題が、本書における哲学的考察の対象となります。私はこの、哲学による「人間らしさの探求」が、いまの不安ある時代を生きる私たちに最も重要だと考えています。本書を書いた理由には、本質をもっと意識して生きてほしいという願いがあります。私たちの善さを意識して生きてほしいという想いがあります。本質を意識して生きることは単に一人の人として生きることではなく、人間として共に生きることだと、私たちはもっと理解すべきです。そしてそれが自然なあり方で、そのことにより私たちはいまよりももっと幸せになれ、平和になれ、平等で自由で、人間らしくなれるだろうという想いが本書には込められています。

また巻末に付録として「ワーク」を設けました。本書を読まれた後、じっくりとご自身の哲学と道徳に想いを巡らせていただきたいと思います。

なお本文にある「授業」とは、アメリカの大学における哲学および倫理学の講義で議論に上がったものを示します（主にオンラインで受講）。国や文化が異なっても、私たちはみんな同じ人間です。この地球規模の視点こそが、私たちの価値観を人間として必要な形にします。現代社会に生きる私たちには国という「個」ではなく、私たちと社会を「地球大」から眺めることが、哲学と道徳のあり方を考える上では重要です。このような想いからも、アメリカの大学における授業での議論を、哲学と道徳の問題を考察する上での参考として取り上げています。[1]

私は哲学により人生を救われ、道徳を実践することによって日々、自らの善さや成長を感じられるような人生を生きつつあります。「内なる人格を磨くべく長年、問い続けた人は、いずれ深みのある心を持つことができる[2]」、読者のみなさんにも、みなさん自身と互いの善さを意識できるような人生を歩んでほしい、そう思っています。では、私たちの善さに深くかかわる哲学について、一緒に考えていくことにしましょう。

モラルコンパス　今を生き抜くための哲学　目次

第二章 私たちにはなにがあるのか

二つ目の哲学：私たちにとって最も価値あるものとは

第三章 私たちはなにを働かせるのか 98

三つ目の哲学：誠・善・徳

第四章　私たちはなにに価値を求めるのか　137

四つ目の哲学：公正、平等、そして真の自由

装幀　本澤博子
装画　Gisuke Hagiwara/ orion/ amanaimages

序章　危機に対して哲学ができること

「自然は自己の法則を破らない[3]」

レオナルド・ダ・ヴィンチ

混沌とした社会、生きにくい社会と形容されるように、現代は希望あふれる時代とは言えません。大きな不安を抱えながら、ただ漠然と不安定な毎日を過ごしている人も少なくないはずです。もし、そうした想いを抱え、本書を手にしたのなら、あなたはいま「生きるとはなにか」という哲学の主題の真っただ中で、「人間とはなにか」という生きるために最も重要な真理を、あなた自身に投げかけています。現代のような社会状況にあっては、そこに生きる私たち人間が、生きることへの本当の意義や価値、つまり「善さ」について想いを巡らせるのは自然なことです。

私たちが生き方について考える時、つまり哲学する時、私たちは同時に「どうあるべきか」という根源的な問いに直面します。しかし、これほど重要で大きな問いにもかかわらず、問いそのものはかなり漠然としていて、向き合い方さえわかりません。哲学は学問としても非常に対象や領域が広く、輪郭がはっきりしていません。私たちにとって哲学そのものが理解しがたく、哲学的な問いに難しさを感じる理由の一つは、この「わかりにくいこと」、そして「見えないこと」にあります。
特に「見えないこと」は、物理的価値に重きを置き、科学的根拠を求めがちな私たち現代人にとっては、大きな不安の種になります。私たち現代人は科学技術による（消費）社会の飛躍的な発展により、目に見えるものや科学的根拠を信じやすい習慣をもっています。このような習慣をもつ私たちにとって哲学はわかりにくいもので、なにも「見えない」問いの「わかりにくそうな」答えを導き出すことは敬遠されがちになります。但し、ここで注意しなければならないのは、科学はメカニズムを解き明かそうとしますが、たとえば人間はなぜ存在するのかといった根源的な問いは追求しません。また一定の条件下におけるモデルを構築しますが、それは現実の一部であって現実そのものではありません。一般的に哲学はその逆です。根源的な問いを、現実的に考察しなければならない時、私たちが頼るのは「哲学」です。

私たちが哲学を難しく感じる理由は他にもあります。それは哲学によって答えを出すためには、哲学的な問いを抱える人自身が問題の深部まで下っていかなければならず、その問いや答えに向き合う必要があることです。哲学的に考えることは、時間と強い精神力を必要とします。私たち現代人にとって、目に見えず、理解しにくく、時間を要する哲学に向き合うのは容易ではありません。しかし程度の差はあれ、私たちは人生を通して哲学を求めます。なぜ私たち人間は、難しいと考え、わかりにくいと感じる哲学を求めるのでしょうか。

哲学は、人間特有の心の働きによって生まれます。私たちは哲学を通して諸問題を考える時、そこにあるであろう「正しさ」や「善さ」に想いを巡らせます。なぜならば、哲学により私たちが探し求めようとしている答えは、**私たちが人間として生きる上で必要とするもの**で、結果として私たちの人格的成長に大きくかかわるからです。現代においても、哲学の必要性が生まれるのは、私たちの中に「一つひとつの問いに対して人間として善い答えを見出していかなければ、社会の発展にもかかわらず、不幸な社会の到来を迎える」という本能的な確信があるからに他なりません。私たちが「善さ」を見つけ出そうとするのは、私たちが「善く生きること」について考えることができ、人生を通じて人間としての成長を求めるからです。もっと言えば、私たちが人間だからです。

現代を生きる私たちには自らの人生や生き方への不安だけではなく、民主社会のあり方や地球環境の寿命など、私たちの根幹や未来を揺るがす問題が、その感覚の分だけ身近にあります。しかし、私たちは日々の生活に追われ、時間をかけて考え抜く姿勢そのものを避け、**意志や思考を、あるいは感情を質的な側面から価値づけず、個人的・物理的側面で捉えがち**です。哲学はそのはじまりにおいて目に見えず、一人ひとりの内にしか存在しません。また姿を見せるには少し時間を要します。忙しく日常を生きる私たちには、そのわかりにくさと相まって哲学そのものがぼんやりとしてしまい、答えなど出せないと、あるいは答えなどないと感じられるかもしれません。しかし同時に、私たちは「哲学的視点からなんらかの答えを出したい」という希望や、「答えを出していかなければならない」という想いを有しています。そして、「哲学によって答えを導けるのではないか」といった哲学への本能的な期待こそが、あなたが本書を手にとった大きな理由の一つではないでしょうか。

文明がかつてないほどに発展した社会に暮らす私たちは、私たち自身が引き起こしたさまざまな問題に対処し切れずにいます。それはなぜなのでしょうか。私は、ここには、私たち現代人が抱える哲学にまつわる二つの大きな問題があると考えています。まず技術的には、おそらく社会にある多くの問題を解決できるほどの知能を、私たちはもち合わせています。果たして、私たちの中のなにが欠けることによって、いまのような状況が引き起こされているのでしょうか。これほどまでに高度に発達した文明社会の中で、技術や資本といった物理的な側面がその要因ではないとしたら、それが私たちの精神面にあることは容易に予測がつくところです。技術の発展は人類の発展の証です。しかし同時に、物理的な発展の中に生きる私たち人間のあり方を、精神面から豊かにするために必要なものがあるはずです。

そしてもう一つは、現在、私たちが、「生きる（live）」よりも「生存する（survive）」にそのあり方の軸を置いていることに深く関係しています。生存することは生きることよりも、私たちの心身や関係を不安定にします。このあり方や生き方の感覚は、いったいどこからきているのでしょうか。そして私たちの心身が幸福に満ち、関係性が安定するためには、私たちはなにを養っていけばいいのでしょうか。

私はこれらの問題を解くために必要なものこそが、哲学であり、そして道徳だと考えています。哲学的に考えることが、「人間らしさ」に適うなにかを見出せるという感覚が私たちにはあります。この感覚は間違っていません。なぜならば私たち人間は、単に生存するためではなく、生きるために、さまざまな特徴や知性をもって生まれたからです。私たち人間は日々をただ生き残ることだけにとらわれずにすむように、「生存する」以上のもの、言葉通り、「生きる」ことができるように知能と知性、そして人間性を授けられています。生きることとは、自己や他を犠牲にし利潤を追求することではなく、**私たちに授かっている知恵や特徴を正しく、そして善く用いることにより、生きることの意味をより深めること**です。「人間であること」は、見えないけれど大切なものを、つまり物事の価値や真理を私たちが自分の手で獲得する「力の源」です。

現在、私たちは人間として生きるためのいくつかの「哲学的視座」を共有できずに、人間的な善さの境界が曖昧なまま日々を生きています。言いかえれば、人間として共有が必要な価値に対し、かなりの度合いで意図的に目を背けています。つまり私たちは、生きる上で必要な価値を見出す哲学と、それらの価値を実践する道徳を働かせていません。いまの価値観と行動のままでは、私たちは人間としての私たち自身を幸福にできません。それればかりか、善さや本質、真実とはなにかを問う姿勢が失われつつある社会は、価値観そのものや社会のあり方を虚構の中で肥大させます。そして、解決できるだろう問題さえ、解決せずに放置してしまいます。

このような状況の中で平静を保って暮らそうとすれば、人間である私たちは不安になります。なぜならば、このようなあり方は「人間として生きる」という私たちの自然体に反するだけではなく、虚構を価値の中心にして生きることと人間性を問わないことを、私たち自身が、そして社会全体が余儀なくするからです。このような状態では、自然で健全な社会環境が築かれないばかりか、社会自体を長らく存続させることはできません。社会の揺らぎは私たちの心の状態を不安定にします。いまの時代を生きる私たちが漠然と抱く不安は、決して大げさなものではなく、私たち自身によって築かれてしまった深刻な現実です。

哲学を学ぶ筆者だからこそ言えることは、哲学でもって本気で社会の諸問題に取り組めば、問題は必ず解決できるということです。哲学によって見出された価値が、私たちらしい能力を発揮させ、人間性に適う自然なあり方を全うするための答えを引き出す可能性は十分にあります。なぜならば、哲学の担い手は私たち人間で、私たち人間の価値観が私たち自身のあり方だけではなく、社会のあり方を決めるからです。哲学は人間としての人生設計と社会設計のための**「価値解釈」**です。そして、道徳は人間としての立場から解釈した価値を**「行為に還元するもの」**です。さまざまな物事は哲学につながりがあり、多くの問題は哲学と道徳で解決できます。逆を言えば、哲学を誤ると、自らや社会を動かす時の「視座（standpoint）」を大きく踏み外すことになります。

私たちは誰一人例外なく社会で共に生きています。社会の中で最も大きなイニシアティブをとる私たち人間の人格と価値観は、社会の質に影響を与えます。単に一人ひとりに良いということが、人格や社会の質を高めるわけではありません。私たちは社会で他と共に生きる本質をもつ「人」という存在だからこそ、哲学をもちます。だから私たちが生きる際には、人間として生きるための価値を明確にし、それらの人間的価値をもとに、自らや社会のあり方をつくっていかなければなりません。

大きな不安を抱える現代において、この世に生を受けた一人の人間として、自らの意志でもってなにを築き、なにを避けるべきか、つまりは人間としての視座を哲学と道徳の両面からより明確にすることが、いまを生きる私たちに共通している最も大きな課題です。哲学と道徳は私たちにとって自然で、**私たちを内と外から支えてくれる柱**です。善く生きるための価値は出生、職業、性別、人種、立場、年齢、民族に一切関係ありません。そして人間以外のすべての命にも恩恵をもたらすものです。周りにあるすべてのもの、そして自己のあり方を考える、つまり哲学することは、そこから見出すものが、社会に生きる一人の人間として、真の幸福を享受し、人間性に適う社会づくりのために、そしてこれ以上、避けられたであろう悲劇を繰り返さないために、最も価値あるものとなるでしょう。

第一章　私たちはなにものなのか

一つ目の哲学：人間として生きる

「あなたの存在というものは、その他のもの、社会の他者があるからこそ可能であり、確実なものとなるのです[4]」

ホセ・ムヒカ

私たちにとり「人間であること」は、なによりも確かなことです。一方で、私たちは人間として、果たして「善い生き方ができているのだろうか」という疑問があります。人間的な価値よりも個人的な価値観が好まれがちな現代社会の中で、人間としての私たち自身を本当に活かすためには、私たちは私たち自身に対し、どのような「価値」を認めなければならないのでしょうか。第一章では、まず「私たち自身」について考え、人間らしく生きるために必要な一つ目の哲学的視座を掘り起こしてみましょう。

1　人間であるとはなにか

私たちと社会

一般的に私たち人間は「人格を中心に捉えられた人」と理解され、また「人の間[5]」とされるように、「共に生きる」本質を認識し、実践することによって、一人の人間として生きることができると考えられています。このことをもう少し解きほぐすために、まずは私たちが共同して人生を営む場である「社会」について考えてみましょう。社会は次のように定義されています。

社会（society）――人間の共同生活の総称。また、広く、人間の集団としての営みや組織的な営み。

人間がいないところに社会は存在しません。また社会がないところでは、私たちは人間として存在し得ません。私たち人間は「社会」という形で自らが暮らす場を必要とし、本質的に自らの価値を活かすため、共に生きる場を必要とします。私たちの誰もが例外なく社会の中で生きています。私たち人間は他とのつながりを認識し、その中で、つまり社会で生きる・行動することにより存在し得る生き物です。また「社会環境」は、私たち人間にとって非常に重要です。なぜならば私たち人間は、社会の中で本質や能力を駆使しながら、さまざまな価値を見出し、社会そのものを築いていくからです。社会は本質を高める原動力、人格の構成要素であり、私たちが人間として生きるにあたり、価値あるものと判断した物事の普遍的性格、つまり重要度を高めるものです。社会環境は私たちの人格を形成し、またその質には私たちの人間性が反映されているのです。

人間の条件

このように、必要な価値を整え実践することは、社会で共に生きていくための「条件」の一つです。条件とは、「それを満たすことで、それそのものになることができるもの」で、「条件を満たす」とは、本質を発揮することです。「本質」は次のように理解されています。

本質（essence）――そのものとして欠くことができない最も大切な根本の性質、要素。あるものを成り立たせているそれ独自の性質。

本質とは存在そのものにとって欠かせないものです。つまり本質が欠ければ、あらゆる存在は存在そのものを成しません。私たちは社会という場において、人間として生きていかなければなりません。つまり私たちは、社会で人間として生きるために必要とされることを、まず見つけなければなりません。なぜならば本来、必要なものとは、物事の本質にとって絶対的に欠かせないからです。必要なもの、つまり本質が欠ければ、それそのものは存在意義を成しません。私たちならその本質、つまり「人間らしさ」こそが、人間として生きる時の絶対的な価値です。私たちが私たちらしさを発揮するためには、人間として大切とする価値、**「普遍的価値」に、まずはあり方の基礎を置かなければなりません。**

たとえば現代のように、自由が価値として圧倒的に好まれたとしても、人間の本質的な価値である自由にも、それを用いるにあたり「人間的な条件」を満たす必要があります。自由を用いる際、その内容や態度が私たちの本質や普遍的価値に反し、人格や健全な社会形成を促さない場合は、自由に対する解釈や取り扱い方が誤っていると判断されなければなりません。自由など、私たちが人間として生きるために必要としたさまざまな価値は、人間的な視点から価値づけられなければなりません。そのためには、さまざまな価値を個人的に捉えるという**「権利的な意識」**よりも、人間的な価値を見出すといった**「哲学的・道徳的な意識」にあり方の基礎を置かなければなりません。**自由は単に私たちに備わっているのではなく、私たちが人間らしく生きるために必要とする価値であり、私たちがそうできてこその価値です。価値がもたらす豊かさの享受が広く、正しく行き渡るために、私たちは物事を本質面から解釈し、実践していかなければなりません。自分自身が正しいと思うことや良いと思うことと、物事の正しさや善さは異なります。私たちは物事を解釈する際に、次の四つを意識しなければなりません。

①　他との共存的存在であるという人間としての自己認識をもつ
②　普遍的価値を共有し、実践する
③　哲学的・道徳的意識にあり方の基礎を置く
④　個人的な価値観と物事の価値解釈を混同しない

普遍的なものとは、私たちが人間として生きる上で「善い」としている価値のことです。善さとは個々に好んだり、正しいと思うことではなく、**他の存在があってはじめて成り立ちます。**たとえば「これは善いことだろうか」と考える時、そこには必ず他の存在があります。だから価値を考える時、私たちは物事の普遍的な側面から考えなければなりません。なぜならば、普遍的価値は私たちの存在要件である社会や他の存在を必ず含み、私たちが人間としてなにを大切にしているか、生きる上で「なにを善いとしているか」を示すものだからです。もし普遍的価値を共有できなければ、私たちは大切なものを大切にできなくなるだけではなく、つながりを感じられなくなり、私たち自身と社会は無秩序かつ不安定になります。つながりから得られる愛情や信頼感は共に生きる時の支えで、生きる意義にもなります。信頼感や生きがいがなければ私たちは生きる時の拠り所をもてず、バラバラになります。人間として生きていけなくなります。私たちは、権利的に自分自身ができることや手にできるものを第一に考えるのではなく、まずは本質的な価値がなにかを考えなければなりません。その上で、手に入れるにふさわしいなにかがあれば、手に入れればいいのです。

私たちは共に生きるという視座の中で、本当に「善いこととはなにか」を考えながら、行動していかなければなりません。「共」にという視座が欠ければ、「善い」価値を生み出すことはできません。

また逆に「善い」という視点が欠けると、共同でなにかを行ったり、保護することなどできなくなります。社会を動かす私たち人間が善くならなければ、善い社会を築くことなど、絶対にできません。

「個人」を「人間」に置きかえる

社会や他の存在を考慮しなければ、私たちは人間としての自分自身に向き合うことができません。この点については「生きるということは人の間にあること」と多くの哲学者が論じているところで、私たちの誰もが他と共に社会で生きる社会的存在です。私たちは「個人」を「人間」に置きかえながら、物事の価値を考えていかなければなりません。**人間であるという立場で、どのように私たち自身を活かせるのかを意識**しなければなりません。もし自己中心的に人間を論じるとしたら、それは人として合わないと判断すべきです。

このことは「人間には欲望や一人ひとりの価値観、つまり本性がある」という意見と衝突しがちです。しかし、人間であることの条件と本性は同じではありません。また、私たち人間は本性や欲望だけをもっているわけではありません。人間の本質と本性を混同してはいけません。人間の本質、つまり「善さ」の問題は、個人の価値観や権利と全く問題を異にします。私たちの善さにかかわる「哲学的・道徳的な意識」とは、私たち一人ひとりに「なにをしたいのか」「どう思うのか」などを問うのではなく、まずは人間として、意志や思考、行動の視座をどこに添えるのかを問うことです。私たち人間に特徴的な意志や思考、行動に際して、私たちが**「なにを人間らしさと考えるのか」**といった「価値」を問うことなのです。

哲学と道徳により明確な答えを描く

これまで見てきたように、理想とされる社会は、まず共に生きる視座のもと、価値を見出し、実践できることです。可能な限り私たち特有の知恵、哲学と道徳を用い、共に生きるすべての存在を大切にできることです。

哲学と道徳の目的は「人間的な価値の発見と実践」です。それは理想の発見ではなく、社会に生きる人間として兼ね備えておくべき本質的価値を見つけるといった、非常に現実的なものです。現実的ということは、私たち次第で実現できる価値ということです。哲学と道徳は単なる正邪の判断や選択のためにあるのではなく、他に「どこまで想いを馳せるか」といった受容や相互扶助、知性といった人間性に深くかかわる価値です。そして、人間の条件や本質の中心に位置し、人間としての私たちを考える際の出発点です。

本質は絶対的なもので、たとえその解釈を変える能力が私たちにあったとしても、**哲学上・道徳上の制限があります**。人間の特徴である知能や知性は、その上で働かせるものです。もっと言えば、哲学的・道徳的に正当化できない、説明できないことは、物事の本質や私たちのあり方との間で矛盾を引き起こします。そのため、私たちの中に共通した価値や人間観がなければ、私たちは不安定になり、生の充実感もはっきりしなくなります。哲学と道徳が欠けると私たちの心は、そして私たちが築く社会は、不安定になります。

いま私たちが不安で、社会が不安定なのは、「人間としてどうあるべきか」の解釈が欠け、人間であるために必要な価値を共有できていないからです。さらには、自己の内に確固たる解釈や他に対する共感や信頼、規範意識や責任感をもてていないからです。もっと厳しい言葉で表現すれば、私たちに思いやりや思慮、善や徳の心といった、本来ならば人間として兼ね備えているであろう人格が欠けているからです。これを簡単に言えば、人間らしくないということです。思いやりをもたない、深く考えないことは私たちを本質から切り離し、別のものにします。私たち人間が高い能力をもつというのなら、私たちはまず社会で他と共に生きる視座でもって、物事の価値を解釈し、解釈した価値を実践していかなければなりません。普遍的な価値が、もっと言えば人間的な価値が、私たち一人ひとりに欠け、共有さえできずにいることが社会を揺るがせ、社会不安を醸成しています。私たちが不安をもつのは、社会において**「私たちはなにものなのか」という問いに対して、私たち自身が明確な答えを描けていない**からです。本書を書いている私も、読んでいるあなたも誰一人例外なく「人間」です。人間であることは、思いやりをもち、努力さえすれば、物事を知性的に解釈し、行動として実践できるということです。私たちが私たちらしく生きるためには、私たちがもつ、そして養える力を活かせるような自然な価値やあり方を考え、実践していかなければなりません。そのためには、社会で人間として共に生きることを生きる際の視座に添え、哲学と道徳を駆使し、生きていかなければなりません。

私たちは生まれた瞬間に社会に取り囲まれます。社会なしに人生を語ることはできません。また、社会を構成する普遍的価値の共有なしに、つまり哲学と道徳なしには、人間らしくなれません。私たちの非人間的な振る舞いの大きな要因は、哲学を安易な解釈に留め、道徳を単なる理想のものとし、さまざまな価値を哲学的な解釈なしに、一人ひとりの単なる価値観や権利として理解することを好んでいることにあります。では、私たちはどのような哲学的視座によって、私たち自身を解釈することが望ましいのでしょうか。次の節では、この点について詳しく考えていくことにしましょう。

2　個人的なことと価値解釈

特に現代社会においては、物事に対する価値づけの中で個人的な価値観が優先され、他や社会は個人の自由を制約すると捉えられがちです。しかし、単に個人を尊重することだけが、本当に私たちを人間として幸せにするのでしょうか。また、人間としての私たちを尊重することは、個人としての私たちとの間に矛盾を引き起こすことなのでしょうか。この節では、人間らしさが私たちにとり、どのようなものなのか考えていきましょう。

「確実になる」とは

言うまでもなく、一人ひとりは意志や価値観をもちます。私たち人間は意志や価値観の実現のために、自らに備わった能力を働かすことができます。特に一人の人間をとっても、私たちは他に働きかける能力と影響力をもちます。これは思考力があり、道具を使用するなど、能力を応用する特徴をもっているためです。当然のことながら、このような特徴をもつ私たちは、社会の中でしたいことを選択したり、実践できることが他の生き物に比べて広範囲に及びます。しかし私たちは、意志をもち、自らの世界観や価値観をつくることはできますが、個人的な意志や価値観だけが自らや社会を構成しているわけではありません。

たとえば、本来「正しいことはなにか」には、同時に「正しくないことはなにか」が存在します。正しいことを見つめることは、正しくないことを見つめることです。正しくないことを知ることなしに、正しいことを本当に知ることはできません。正しいことは正しくないことの認識なしには成り立ちません。つまり正しいことは、正しくないことがなにかという解釈なしには、本当にはつかめません。

同じように、自己とはなにかを問う時、他とはなにかを問い、他を意識しなければなりません。共に生きる私たちは、単に自分自身を認識しただけでは、自己を本当には認識できません。自己と他は切り離されて考えられがちですが、自己は他の存在なしには成り立ちません。自己と他は同時に存在し、互いの存在を補い・支え合うものです。他の存在は自己の存在の基礎で、自己は他の存在により確実なものとなります。

「確実になる」とは、単に存在するのではなく、互いにその価値を尊重してはじめてあるとされるものです。つまり私たちは、まず互いに人間としての価値を認めてこそ、私たち自身を確実にできます。他や社会への認識が、個人としての私たちを人間にします。私たちは他の存在がなければ、人間としての私たち自身を成り立たすことができません。ではなぜ私たちは、私たち自身を「確実」にしなければならないのでしょうか。

その理由の一つは、人間として生まれた私たちは、本来、その本質に適う生き方でしか人間らしく考え、行動し、生きることができないからです。本質、つまり「らしさ」は存在意義そのものです。私たち人間にとって、他の存在は本質に深くかかわり、**他の存在への関心が私たちの特徴の源**です。これまで見てきたように、私たち人間は公共性・社会性が低いと、自らがもつ価値自体の人間性も低くなります。価値の解釈が個別的になれば、私たちは人間らしい価値を成り立たすことができず、人間としての私たちを本当には尊重できません。つまり価値を求める際、それが人間として善いかという価値解釈と、その共有なしには、私たちは互いを人間として尊重できず、結果として個性なども成り立たせることができないのです。

本質を思考や行動に投影する

いま私たちが社会に対して不安を抱くのは、私たちが人間としての側面から解釈すべきことを解釈せず、普遍的価値を共有できていないからです。共有できる価値による互いへの理解やつながりがなく、バラバラであるために、私たちの間に相手を思いやる心や信頼関係を築けていません。また、社会制度を成り立たせるための価値も実践できず、制度のための手段さえも信用できていません。たとえば、社会制度の一つである政治に対する私たちの不信感はかなり根深いものです。

当然のことながら、私たち人間は自分自身を大切にすべきですが、同時に本質を軸に自分自身を眺め、社会に生きる一人の人間として自己を確立できなければなりません。なぜならば、私たち人間が価値とすることが、私たちが生きる社会の質に大きな影響を与えるからです。この意味からも、私たち自身を社会の中に位置づけることは、互いにとって大切なものを守るだけではなく、価値を人間性の面から問い質（ただ）します。その価値にまつわる自らの態度や行動を善くするだけではなく、真価に適った価値・善い価値の普及を促します。

私たちが社会に不安を覚え、社会が不安定な原因は、社会の中で大切な価値が共有できていないことに加え、社会の中のなんらかの価値が私たちにとって、**人間として合っていない**からです。そして、私たちが人としての基礎さえもてずに生きているからです。私たちの中に「人間としての私たち自身」という感覚が欠ければ、私たちの価値観は容易に、単なる自分勝手となります。私たち人間は、**利己的に生きると本質を自分の思考や行動に投影せず、人間性を見失います。**個人的な意志や価値観を優先しがちになると、人間的な価値を問わなくなり、人間らしさそのものを見失っていきます。

最も少数の人類を想定しても、私たちは決して一人・個人では存在できません。私たちは個人である前に、一人の人間です。本質的な生き方ができないことは、私たちの誰にとっても不自然で、不安定です。私たちは人間であることを一人の個人である前に考慮しなければ、人間としての自己を成り立たせることができません。そしてまた、私たちは他の存在を意識し、人間としてもつ能力を働かせることでしか、人間らしくなれません。

本質を軸に自分自身を眺める

特に私たち現代人は、個人的な欲望を重視し、**個人的主体性のみを思考や行動の軸に置く傾向**があります。しかし、私たちにとって人間であることが、一見、個人的とされる意志や価値観の軸でもあります。それらは「共に生きる」という人間の原理から生まれた軸です。私たちは自己であると同時に、他でもあります。人間としての私たち自身を考慮することにより、「個人としての私」が自己矛盾に陥ることはありません。なぜならば、私たち人間は一人の人間であろうが、個人であろうが、本質的につながりを求め、その中で生きることで存在し得る生き物だからです。そしてまた、**人間性は他とのかかわりの中でしか育まれない**からです。

それぞれがもつ役割や能力を発揮するという点に着目しても、他の存在が欠かせないことは想像するまでもありません。私たち人間は他とのつながりの中で自分のしたいこと・することを考えることにより、それぞれがもつ意志や価値を発揮できます。ささいな欲求を満たすことや、自己実現、社会構築も、一人ひとりを人間として尊重し、共に生きる視座がなければ実現しません。私たちはその本質、つまり人間であることそのものを考えられなければ、物事の価値だけではなく、自らの価値を築くことができません。その前提をもとに意志や価値を見出し、行動してはじめて、本当の意味で誰もがもつ能力を発揮できます。思慮や規律といったさまざまな価値が私たちの行動に影響を与え、**意志とは私たち自身が働かせるものでもあり、また他から働きを受けるもの**でもあります。この意味でも「意志」とは、単に自らがしたいことというよりも、「他とのつながりの中で、自らができること、することを発見し、やっていくこと[6]」なのです。

人間として尊重されることとは、一人の個人の前に尊重されなければならないことであり、「一つのことを成し遂げるのに、たくさんの命や人の想い、行動が必要」で、意志や価値はそうした人間としての自己認識の上に成り立つものです。人間として生きることは決して個人としての自己と相対し、自己矛盾することではありません。人間として生きることは、自由主義的、あるいは個人主義的な価値とは視座を異にし、それぞれに生きることよりも、私たちにとってずっと大切なことです。

また私たちは人間を中心に社会を捉えがちですが、地球上には人間誕生以前から、実に多くの生命が存在してきました。文明が高度に発達した現代においては、多くの物事が個人で可能になっていると思われ、個人的な価値観が重視されがちです。しかし、私たちの営みの多くは、個人でできるようになったと感じられたとしても、他の存在がなければ成り立ちません。私たちは自分でできることが多くあると考えていますが、一人では社会問題を解決することも、社会を構築することもできないだけではなく、自らを成り立たせることはできません。実際に、私たちが自分だけでできることは非常に限られています。より制度として確立した社会の中で生きる私たちは、大部分を社会と他の存在との共存に頼っています。いまこの瞬間に周りを見渡しただけでも、自分自身だけでつくったものをいくつ見つけられるでしょうか。そんなものはほとんどありません。

価値の歪みを直視する

私たちにとって人として合っている価値を探し出すのが「哲学」です。もちろん人により求める価値は異なります。しかし、自然な価値や本質にかかわる価値は、個人的な価値観をもとに解釈できません。なぜならば、個人的な価値観は、その時々に良いとする視座が変わり、また変わる・変えることを、個人の裁量のもとに許すからです。恣意的・傾向的な価値は、それが「人それぞれの価値観」である・ないに留まらず、物事の本質を歪め、私たちから人間らしさを奪います。社会において一人ひとりがもつ価値を活かし、自己実現を叶えるためにも、社会で他と共に生きる視座を確立し、その枠組みの中で意志や価値とはなにかを解釈する必要があります。もし価値解釈の視座が個人的なものに留まれば、価値や権利が人間としての視座以外の力学により左右されます。本来、普遍的価値は、力学や物理的価値では左右されません。それは本質面から価値づけられ、個人的な意図にも左右されないものです。

くり返しになりますが「普遍的価値」とは、私たちが人間としてなにを大切だと考えているかを示しています。だから普遍的価値が尊重されなければ、人間として一人ひとりが尊重されることもありません。特に私たち人間にとって普遍的価値とは、私たち自身と他者を人間化するものです。逆に普遍的価値に反する価値は私たちを非人間的にします。他者の権利を認めなかったり、差別をしたり、非人間的な価値を価値観とし得ます。[7] それは同時に、自己の価値や権利の芽を摘みます。そして、普遍的価値が欠けることにより、もし一部の人の権利だけが高められたり、ある人たちの価値や権利が奪われていたり、また人間らしさが奪われていたりすれば、私たち自身もそのような社会も、言うまでもなく非人間的です。

私たちの誰もが生きる上で、他や社会を必要とします。これが人間として生きる際の前提です。この視座を認識し、それに合った行動をとることは、「自分たち自身がなんであるか」を私たちが知っているということです。私たちは自らの意志により物事の価値を決めることができます。そうできるのは、私たちが「人間」だからです。つまり、私たちが人間として生まれもつ恩恵を本当に活かすためには、まずは人間であることの価値を正しく認識できなければなりません。私たちは自らの立場を「個人」ではなく「人間」に置き、価値を解釈しなければなりません。**物事の価値解釈に対する自らの歪みを、人間らしさを視座に考えること、つまり哲学により直視**しなければなりません。

社会に生きるすべての存在は、共に生きるという本質が欠けると、その生命がもつ自然な姿から遠ざかります。本質に適わない価値を共有価値として所有しようとする時、それは普遍的価値ではないので、その価値を手にした生き物を本質から逸らしていきます。私たちに当てはめて考えるなら、人間らしく生きることから逸れていきます。共に生きる社会の中で、なにものかがその本質に従わずに生きる時、それはそのものとしての存在を成さず、他にとっての存在要件も成しません。私たちにとって大切なことは、人間として社会に生まれてきた認識をもち、その立場から見出した価値を実践し続けることです。つまり、私たちにとって本当に大切なことは、社会でつながりをもちながら生きる一人の人間としての意志と感覚の中で、自己と他について知り、どのようなあり方ができるのかを考えることです。どうしたらすべての人がその価値を社会で活かせるか、さらに言えば、命あるすべてのものの価値を私たち人間が認識し、それらの命を活かすためには、**どのような知恵をどのように絞るかに、力を尽くすこと**です。

私たちはまず、自分自身を他と切り離せない存在として認識し、私たちと切り離せない価値を解釈しなければなりません。私たちと他は切り離すことはできません。そして、そのかかわりの中で価値とすることと私たちを切り離すこともできません。哲学と道徳は、物事への解釈とその実践により私たちのつながりを深めます。私たちは私たちがもつ人間的な部分を哲学的に解釈した上で、私的な事柄とはなにかについて考える必要があります。私たち人間は、誰もが望むものすべてをつくり出せず、またつくり出す必要もありません。私たちは人生を考える際に、たとえばなにをもちたいであるとか、なにが欲しいだとかといった本性の面からのみ価値を重視するでしょうか。私たちの欲望の中には、共に生きる際に必要でないものもあります。必要なものこそが、まずは人間性を駆使し、つくり出すべきものです。利己的な豊かさや物理的な豊かさの前に必要なのは、私たちが人間として生まれたことを活かせる価値や関係づくり、そして人格づくりです。

3 人間としての自己認識

人間としての自己認識

哲学は難しいものです。特に、私たち現代人が哲学そのものを難しく感じるのには、主に二つの理由があります。一つ目は、哲学そのものが物事の価値を問う以上、「物事のあり方」にかかわることです。物事の本質を探究するには、問いを抱える人自身が問題の深部まで下っていかなければならず、強い精神力とある程度の時間を要します。忙しく生きる私たち現代人にとって、哲学に向き合うことは容易ではありません。しかし、このあり方との対面は「哲学すること」と同じなので、哲学の醍醐味でもあります。

そして二つ目は、私たち現代人が「共に生きる」よりも「個人として生きる」に価値の軸を置くことにより、その質が多くの場面で哲学そのものへの対立を生んでいることです。とりわけ個人主義や資本主義における価値観を重視する社会であればあるほど、所有や欲望という「個人の権利」に対する利害との関係で、哲学を難しいもの・一概に定義できないものとする傾向は強くなります。しかし私たちにとって、私たち自身を個人であることよりも人間であること、社会の中でのあり方を見出すこと、そして人格を築いていくことが人間的には重要です。

私たちには、私たちと社会が同時に存在する事実、他の生命と共存し、それでもって自分自身を成り立たせている事実、社会的影響力がある事実、そして私たちが人間であるという事実があります。私たちは物事の価値を人間としての立場から解釈し、人格形成と社会の質の向上を目指さなければなりません。

私たち人間が地球上において大きなイニシアティブをとっているように見えるのは、私たちが高い知能をもつからです。そしてそのような存在である私たちが、他の存在を脅かすような問題を起こしているのは、私たちの自己に対する認識、つまり人間としての自己認識が低いからです。地球環境問題一つをとっても、このような問題が起こるのは、私たちの知性が低いからと言わざるを得ません。つまり私たちは私たちがもつ価値を活かせていません。**共に生きる場において、存在そのもののあり方を成していません。**私たちの中に全く同じ人間はいませんが、私たちすべてが同じ人間であることは自明のことです。私たちは誰一人例外なく「人間」です。私たちは私たちが人間であることを認識し、本質を活かせるような力を育んでいかなければなりません。ここで、モラルコンパスをつくる一つ目の哲学的視座の登場です。

モラルコンパス 1 「人間としての自己認識をもつ＝社会における自己の位置づけ」

この視座は「私たちはなにものなのか」に対する答えです。社会における自己の位置づけ（situated-self）[8]とは、私たち人間が生まれながらに社会で共に生きる存在であり、社会を構成している一人の人間である自己を根拠とします。この哲学的視座における最も重要な根本的概念は、「共に生きること」です。互いにかかわり合っている私たちにとって、社会は最も大きなそして共通の生きる場です。人間としての自己認識は、一人ひとりの人間が、自らが帰属する社会において自己の価値を活かし、**もって生まれた命と本質に適った能力を発揮するためのもの**です。この目的は、言うまでもなく、存在価値の公平性を認識でき、人間らしく生き、人間らしい幸福を追求し、享受できる社会づくりです。そういう社会には幸福と平和があります。つまり、**生きるものにとっては合っている**のです。

私たちは私たちに合う社会づくりのために、まずは私たち自身が「なにものなのか」を理解できなければなりません。「人間としての自己認識」は、価値づくりの根本が人間としての公正や平等を前提としますが、主に権利的な意識に重きを置きがちな個人的な価値観は、私たちの本質、特に思慮や互恵性（ごけい）を軽視します。個に偏向した価値観は私たちを利己的にし、普遍的価値や社会における人間としての役割を無効にします。つまり人間社会を価値観の土台とすることと、単に個人を価値観の土台とすることは、価値の起点とそれにより育まれる価値を異とするのです。

星が運んでくれるであろうもの

本質的に私たち人間は、一人という枠組みでは多くの物事に関して考え、解決することができません。たとえば「今日はなにを食べよう？」は自然な欲求で、一人でも考えられ、もちろん考えることの善し悪しなどを問うようなものでもありません。このような欲求は誰にでもあります。欲求とは「欲しがり求めること」で、おなかがすいていて食事を摂りたいのはごく自然なことです。そして欲望とは「満たされるべきなのに、満たされていないことを求めること」だからです。そして欲望とは「不足を感じ、満たそうと望む心のこと」で、「満たされるべき・なしにかかわらず満たしたいから望むもの」、つまり本質的には過剰になり得るものです。

そして「思いやりってなんだろう」というような、人間性にかかわる価値を考える際には、私たちは私たち自身だけのことを考えるだけでは答えなど出せません。必ずそこには社会や他の存在がありのます。人間としての私たち自身があります。私たちは「自分が誰であるかを知らないと、倫理的、社会的な問いに答えることはできず[9]」、人間的な問いには答えられません。そして人間として崇高な理念や望みをもったり、願いを叶えたりすることもできません。

「欲望（desire）」の語源は非常に興味深いものです。欲望はラテン語の「sidus（星）＋de（から）

→desiderare（星から）」が派生し、「憧れ・欲」となった語です。欲望とは「星が運んでくれるであろうもの」といった、手に入れたいけれど入れられないような、もっと崇高な価値のことでした。手に入らないものを求めることは憧れやロマンでもあり、反面、その想いが強くなればなるほど過激になるものです。

消費社会の発展により、空にあるほど崇高なものではなく、容易に叶えられる欲や望みを、特に物により叶えられる欲望を、私たちはもつようになりました。簡単に叶えられ、軽いもので満たされるようになってしまいました。その刺激に反応し、叶えることを当然のこととし、手段を厭（いと）わなくなり、必要性や価値について考えなくなりました。欲というものが自らの利益や打算、好みの総計となり、その質・手段においてかなり安易なものになってしまった現代社会において、私たちが抱えるような欲望が、私たちを精神的にも、そして物理的にも決して豊かにしないことを、この語源は物語っているように思えます。過剰になるということは、なにかに余計な犠牲を強いることです。それは他者や自然環境かもしれませんし、あるいは私たち自身の心かもしれません。

いま私たちは、単に人間としてのあり方を問われた時の社会的同意や普遍的価値さえ共有できていません。人間であることや大切なことがなにかといった基盤がなければ、社会は揺らぎ、容易にどのような方向へも促されていきます。人として豊かに、そしてより善く生きていくために必要な土台や方向性ぐらい、知能や知性を駆使して自分たちで見つけていこう、というのが「モラルコンパス（人格の羅針盤）」です。その視座の一つが「人間としての自己認識」で、私たち人間は人間として自己認識ができてはじめて、存在として確実のものとなります。そのようにできて私たちは確実に社会で共に生き、支え合える人となれます。

私たちにとって「そのもの」であるとは、命ある「人間」であることです。私たちが人間であることに矛盾しないためには、まず私たち一人ひとりが、人間としての自己認識を深めることです。そしてその視座の上で、物事の価値を解釈し、行動し、人格を築くことです。私たちは人間であることを理解しているだけでは不十分です。

「人間らしさ」を規定する

人間らしさを規定し、そこから人間性という考え方をもち込むのは危険だという意見があります。その特徴が備わらない人をないがしろにするというものです。しかし、人間であることは、国によっても、人種によっても、性別によっても、宗教によっても一切変わらないもので、一番自然で公平な立場です。また言うまでもなく、私たちの中に完璧な人など一人もいません。命の公平観や存在価値を認識し、共に生きることとは、**それぞれにすべてを求め合うことではなく、補完し合い、それぞれがもつ価値を活かし、支え合えるといったあり方ができること**です。

人間性は普遍的な価値で、人間性を追求することとは、個性を放棄することでもなんでもありません。人間性を知り、本質的な価値を知ることとは、たとえばサッカー選手であることが、サッカーのルールを認識し、正しい試合を行うための基本的な条件を満たすことと同じです。人間性とは私たちが求めるものであり、私たちに求められている自然な価値です。人間であることの認識と普遍的価値を認めることは、私たちが自己矛盾に陥らないためにも不可欠なことです。

私たちは私たちらしさでしか自己を高めていけません。人間らしさを高められません。共に生きること、思いやりをもつこと、考え・行動することなど、これらの本質を発揮できなければ私たちはなにものでもありません。本質について語ることは、私たちを規定することでもなんでもありません。本質は私たちにとって自然な価値で、自らの本質を知らなければ、私たちは私たちのもつ価値を本当には活かせません。そして本質を育む努力をしなければ、善く生きていくことはできません。**人間らしさを認識することは、私たちが非人間的なことはなにかを理解すること**でもあります。非人間的な行為により、私たちが「同じ過ちを二度と繰り返さないためのもの[10]」でもあります。

The Guiding Star〜北極星を探せ！

たとえば夜空に北極星を探そうとする時、私たちはコンパスを頼りに数多くの星を辿りながら、ようやくそれを認めることができます。同じように「人として善く生きる」ことを目標に、数多くある価値の中で、最低限必要な視座を指し示すのが「モラルコンパス」です。

本書に示されているのは、大切であるにもかかわらず、いま私たちが選択できていない価値です。それが問題です。私たちが普遍的価値の共有の重要性を認識でき、人間としての善さや良心、知性を働かせているのなら、モラルコンパスなど必要ありません。モラルコンパスをつくるのは、善く生きたいという私たちの想いです。私たちは、私たちの中に目標・北極星を見定め、それに到達するために必要な視座を一つひとつ辿りながら、人格を養っていかなければなりません。科学的にわかっている限り、私たち人間も「星のかけら」からできました。誰もが輝く存在であり、人間として生まれた瞬間、善く生きるためのたくさんの可能性を手にしています。

現代の諸問題に私たちが対処し切れない原因の多くは、私たちが非人間的な、あるいは単なる個人的な価値観に向かい過ぎるためです。そのために私たちは、人間的価値がなにかを解釈できず、実践できないでいます。価値を個人的な視座に置き、自らの内に哲学と道徳を鍛えることを怠っています。結果として、人間性を見失うだけではなく、非人間的な振る舞いを正せずに、推し進めてさえいます。このような哲学的な意識と道徳的な態度の欠如は、人間の危機です。なによりも人間としての私たちの存在意義を否定し、善き生の実現など不可能なことを自ら正当化しています。

人生においては誰もが例外なく悩み、考えることの繰り返しです。しかし答えは出ます。その時々の糸口となる哲学をつかみ、自分のものにしていくのは私たち自身です。私たちが諸問題を質的な面から考えていくのが哲学という人間特有の心の働きで、その目的は人間としての自己形成と善い人生です。次の節では、哲学の主題の一つである「善き生」について考えていくことにしましょう。

4 善く生きるとは

一人ひとりを尊重しながら、共に生きるという哲学的視座の中で、「善く生きる」とは具体的にどのようなことなのでしょうか。これまでふれてきたように、人間らしさに適う価値や、それが導き出す幸福感は、決して自己の内に留まるものではなく、他と分かち合い、感じられることにその根をもちます。このことが本書において私が最も言いたいことです。つまり、私たち人間は本質を活かし、意義ある人生を送るために、同じく社会に生きる人や存在にとっても大切なものを見つけ、共有し、それらの価値を実現するために不可欠なことを一つひとつ実践していく必要があります。この人間らしさという観点から、哲学の主題の一つである「善き生」とはなにかについて考えていきましょう。

「命を味わう」レベルで生きる

これまでふれてきたように、「善」とは他の存在がなければ成り立たない価値で、その実践により相互の本質を高めるものです。私たち人間ならば、人間性を養う上で欠かせない価値です。欠かせないものとは、単に「一人ひとりが必要としている・いないこと」ではなく、それそのものがなければ「全体としてその存在の意味を成さないもの」のことです。私たちは他と共に生きています。**私たち**

は生きる上で他について考える必要があり、この本質に人として気づくこと、その視座の上に意志や価値を築くことが、人間として生きていく上で非常に重要です。

私たち人間は「命を味わう」というレベルで生きることができます。「命を味わう」とは、自分自身で人生の視座を定められることです。そのためにはまず、なにが大切で、必要なのかを一つひとつ解きほぐすレベルで考えること、つまり物事の本質を問う中で、まず私たち自身を直視し、振り返り、改めなければなりません。私たち人間の最たる能力は、心がけや努力により心身ともに、より豊かな人生を送り、文字通り人生を味わえることです。そして誰かのために深く考え、行動できることです。

社会の中で求められる人間としての立場こそが、「個人の価値観を狭め、意志を阻むものではないか」と疑問をもつ人もいるでしょう。その疑問に対する答えは「自分はなぜ存在しているか」という哲学の中にあります。自分はなぜ存在しているかは、哲学らしい問いの一つです。人間がより善く生きるという点からも、一人ひとりが存在意義を実感できる居場所をもち、人生の意味や意義を感じられることはとても重要です。なぜ私たちはそのようなことを考えるのでしょうか。

私たち人間は生きているという事実があるにもかかわらず、生きていることそのものに対する理由を求めます。これは私たち人間の、「生きていることとはなんであるのか」を解釈したいという自然な欲求です。私たち人間はただ単に生きているという状態では満足しません。「ただ生きているという事実」は、私たちが生きること、つまり人生とはなにかを考える際には不十分なのです。私たち人間は自らが生まれたことにもなんらかの意味があると考え、その意義を見出そうとします。私たちは単に生きていることだけではなく、自らの命を活かせているかを考えます。これは非常に人間らしいことです。そして私たちは「自分はなぜ存在しているのか」を哲学するごとに、生きがいや居場所、価値や立場を求め、発見し、単に生きることから脱却します。[11]

生きている実感という支柱を立てる

さらに生きていることをより実感するためには、「意義」と解釈した価値がなんらかの形で実現されなければなりません。社会（あるいはそれに相応する帰属の場・家庭、学校、その他の人間関係など）で存在感覚を抱いたり、価値としたことを、大なり小なりなんらかの形にできなければなりません。そして、そうすることにより、自らの存在意義が高められなければなりません。

意義とは「物事が他との関係においてもつ価値や重要性のこと」で「自己の行為や他に対する積極的で優れた価値を生み出すもの」です。それは自己の内においては、社会における自己の価値の度合いを示します。だから私たちは意義を見失うと、これまで「自らの世界を支える柱となっていた価値体系」もくずれ、人生の意義や価値を見出せず「自己への否定意識や、社会からの疎外感を生みます」。[12]社会に生まれたことは、すべての人に他との関係をもたらし、私たちは本質的にも社会における自らの存在意義を必要とします。自身が一生涯暮らす社会という枠組みにおいて、意志や価値を築き、実現することで、私たちは自らの人間という側面を成り立たせることができます。単に「生きること」ではなく「生きていること」を実感することができます。自己の存在を実感し、居場所を見つけることは、人間らしく生きる上では必要不可欠なのです。

また社会における存在感覚を誰もがもてるようにするには、社会を「誰もが生きていることを実感できるような場」につくり上げる必要があります。そのためには、人間としての公平さを認識でき、誰もが支え合い、補い合う存在だという根本価値を、生きていく際の視座に添えなければなりません。私たちが人間として生きるために必要なことは、互いの命の価値を知ること、そしてその価値感覚や取り扱い方が私たちにとって人間としての側面に、つまり本質に合っているかを知ることです。そして、そのために必要な態度を実践することです。なぜならば、互いが生きていること、つまり互いの命より大切なものはなく、そして私たちが人間であることには絶対に矛盾できないからです。互いの命と人間であることの価値の軸なしに、自己のあり方を築くことなどできません。私たちにとって最も大切なことは、命ある人間として生まれたことです。この二つの大切なことと、私たちで言うところの自分自身の意志や価値、意義を切り離すことなどできません。つまり善く生きるためには、単に一人の人らしさを満たすだけではなく、次の三つの人間的な要件を満たす必要があります。

① 社会で共に生きているという視座の上に意志と価値を築く

② ①により意義としたことを社会（あるいはそれに相応する場）で実現したり、存在感覚・意義を抱く

③　哲学的な視座をもち、道徳を実践する

私たち人間は、自らのあり方を知性でもって主体的かつ共同的に捉えられます。それは意識する・しないにかかわらず、私たちが常に人間として授かった特徴を用いながら生きているからです。私たちが知性により思いやりをもち、客観的になることで、他者の意図や価値、想いや考えをより認識でき、自らの価値を広げ、見落としているものに気づく本質をもつからです。私たちは理性的というより、**本質的に主体的かつ客観的に、私たちに必要な価値を選択できます。**人間として生きることは非常に主体的で、共同的、そして私たちの誰にとっても非常に大きな価値をもたらすものです。

人間であれること

人間として生きることが私たちに合っていて、私たちの価値を活かす土台になります。この土台が一人ひとりの命と人生の価値を最善化し、人間として与えられた命をより人間らしくします。私たち自身のあり方や善い人生とはなにかを考える際に「人間としての自己認識」は、心と態度のなによりものカギとなります。なぜならば、私たちの誰もが人間で、**人間であることには誰一人として絶対に矛盾できない**からです。つまり「善く生きる」とは、私たち一人ひとりが自己を含めた他の価値を知り、社会で他と共に生きるという視座のもと、互いの存在価値を認め合い、存在意義を確立し、実現できることです。そして、自らの意志や行為を主体的かつ、共同的に選択する中で知性を働かせ、互

恵的な生き方ができること、**「人間であれること」**に他なりません。

人間である自分を直視することは、価値観を単に個人規模の枠組みに留めたり、自分の欲望を知ったり、叶えることではありません。そのような視座の中で、自分のしたいことをすることではありません。また私たちのもつ価値を単に個性や才能に留めるものではありません。私たちは私たち自身や能力を、単に個人の所有物だと思いがちですが、私たちの特徴や能力は、他との共存のもとにあり、また育まれるものです。それは命がどのように授かるのか、そして私たちの特徴がなぜ備わっているのかを考えれば容易にわかることです。自らの利益や価値とすることのために都合よく能力や特徴についてて解釈してはいけません。

自分自身の善さを信じる

私たちの誰もが人間として生を授かった瞬間に、すでに多くの価値と可能性をもって生まれてきています。私たちは人間であり、他の存在と共に生きています。その中で自分らしく生きるとは、他と生きる中で自分の「善さ」を見つけられ、それを活かせることです。そして、見つけ出した善さを「自分らしさ」として生きていけることです。善く生きるとは、私たち自身が**自分自身の善さを信じられるかどうかの問題**でもあります。

私たちの人間としての価値は、所有物や経済力によっては決まりません。そのような視点から評価されるものではありません。私たちの価値を測るとしたら、それは「善いかどうか」です。一人ひとりが一人の人間であることと共に、人間としての自分自身を知ること、そして自分自身の善さを見つけていくこと、いまを生きる私たちに必要なのは、こうした自己理解の仕方なのです。

第二章　私たちにはなにがあるのか

二つ目の哲学：私たちにとって最も価値あるものとは

「命に対する愛惜、命を愛おしむという気持ちで物事に対処すれば、大体誤らない[13]」

中村　哲

自らを人間であると受け入れることは、私たちに生きる意味を教えてくれます。私たちはどこまで他人を思いやれるでしょうか。そして、他者の内に互いの存在意義を見出し、同時に自らの意志を共に生きる枠組みに見出すことができるのでしょうか。共に生きる感覚を身につけるためには、自己の存在意義を探求する中で、まずは「人間として生まれた価値」に気づき、私たちを人間として最大限に活かすために必要な価値を整え、鍛えることです。私たちにとり、その手助けをしてくれるのが、「哲学と道徳」です。いまを生きる私たちは、まずは自らの立場を哲学から確立し、人間として自己形成する必要があります。そして、その中で知能や個性を活かし、知性を育んでいかなければなりません。第二章では、まず「哲学」について考えていきましょう。

1 哲学とはなにか

哲学の歴史

まず哲学とはなんなのでしょうか。私たちは「哲学」という言葉を耳にするだけで、なにやら難しい勉強のようなものが始まると思いがちです。このように感じてしまう理由の一つは、哲学が「物事の本質」に深くかかわっているからです。

歴史を紐解けば、古代ギリシアにおいて「哲学」は一般教養（リベラル・アーツ）とされ、哲学教師は「自由七科（修辞、文法、論理、音楽、幾何、算術、天文学）」を担当しました。現代のように科学と非科学の区分はなく、自然や実体、普遍的原理といった「本質の解明」、つまり普遍的価値を突き止めることが、これらの学問の課題でした。[14] 哲学はあらゆる学問の基礎で、生活一般に深く結びつき、教養といった知性の育成や普遍的価値の探究といった役割を担っていました。逆を言えば、私たちの身の回りにある物事と哲学の結びつきを断てば、「物事の本質を見出す」といった姿勢は重視されなくなり、そこから導き出される解釈の普遍性は軽減され、知性の育成が妨げられます。

本来哲学は、他の学問と切り離されるべきではありません。しかし特に十九世紀以降、科学の発展により哲学を取り巻く学問にも、科学的様相が必要とされるようになります。時代時代における価値や思想の転換、諸科学の分化や科学技術の発展などにより、物事の本質を解明するといった哲学の普遍的な役割は軽減され、哲学そのものが単に世界や人生の根本原理を追求する学問として定義されるに至ってしまいます。

哲学と私たち特有の「思考」

このように、本質的に哲学は、対象によって規定できる学問ではなく、物事の価値や性質、定義を論じるものに使用されます。物事の根源・本質が主題となりやすく、主題そのものの抽象度の高さや分析の必要性が、哲学そのものへの理解をいっそう難しくします。さらに、個人主義や自由主義に重きを置きがちな私たち現代人にとって哲学は、ともすれば個人の行動を律するような厳しい基準を課すと捉えられがちです。なぜならば、逆に物事の本質にかかわる哲学を曖昧にしてしまえば、ある種の願望や志向、欲望をより叶えやすい状況をつくることができるからです。しかし、物事の価値や社会のあり方を知る上で、物事の根源や本質にかかわる哲学がどのような性質と目的をもつかを知ることは、非常に重要です。なぜならば哲学と哲学を取り巻く価値には、社会を構成する私たち人間の**「思考」という精神活動が深くかかわっている**からです。ここで哲学の意味をみてみましょう。

哲学（philosophy）――世界・人生などの根本原理を追求する学問。物事の本質や意味・価値を問うこと。

哲学は「追求する」や「問う」に見られるように、私たち人間に特有の「思考」に深く関係しています。一般的に思考とは「考えや思いを巡らせる中で、結論を導くための筋道や方法を模索しようとする精神活動」です。私たち人間は思考という「精神活動」を通じて、物事に対する哲学的価値づけ、つまり「解釈」を見出そうとします。解釈（interpretation）とは、「物事の意味や自他の行為を受け手側から理解すること」です。自分自身が物事に対して「どう思うか」といった、単なる個人的な感じ方や考え方とは異なり、認識や判断、受容や理解といった他の存在と深いかかわりがあります。

この物事の本質や他と深いかかわりをもつこと、感じたことや思ったことを解釈まで掘り下げていくといった哲学特有の思考法が、哲学を「なんだかわかりにくいもの」にしています。

哲学と私たちの本質

誰もが一度は、「生きるとはなんなのだろう」とか、「人生をどう生きればいいのだろう」と考えたことがあるかと思います。哲学はとりわけ私たち人間の根源や営み、「生」に深いかかわりがあります。また、「社会で生きるとはどういうことだろう」とか、「人を愛するってなんだろう」と想いを馳せたこともあるかと思います。これらも生きることや人間、そして社会にかかわるといった点で、すべて哲学的な問いです。ここで「生きること」を例に、哲学について考えてみましょう。

「なぜ生きているのか」は最も哲学らしい問いの一つです。先にふれたように私たち人間は、いまこうして生きているという事実があるにもかかわらず、生きがいを求めたり、生きていると感じることを必要とする生き物です。これは「生きている事実」と「生きていると感じる」ことの間に、「生きること」そのものに対する解釈や認識を私たちが求めるからです。私たち人間は生きていることへの解釈や認識を、生きることに対する意義や価値とはなにかを知るために必要とします[15]。なぜ私たちは物事に対して解釈を求めるのでしょうか。これは私たちがその特徴として「思考」という精神活動を有し、**心や精神に向き合うという性質をもっている**からです。私たち人間は、その特質として心や精神を大切にし、心や精神によって物事の意義や価値を考え、求めるといった本質をもっているのです。

第一章でふれたように「本質」とは、存在そのものに欠かせない価値のことです。私たちが心や精神を大切にする本質を兼ね備えているのは、私たちが心や精神を求めているかどうかや、必要としているかどうかは関係ありません。心や精神を大切にすることは、私たちが人間らしく生きるために必要とされ、人間として自然にもつ価値の一つです。

つまり私たちが「人間らしく生きるため」には、まずは心と精神を大切にすることが欠かせません。私たちは人間であるからこそ心や精神を重んじ、それらそのものを価値とします。そして私たち一人ひとりが心と精神を大切にし、それらを働かすためには、物事の意義や価値を追求したり、物事を本質的な面から価値づけること、つまり「哲学する」ことが欠かせません。では、心と精神を大切にし、哲学することをその本質にもつ私たち人間は、他にどのような本質をもつのでしょうか。このことを考えていくために、私たち人間の四つの特徴を整理しておきましょう。

① 言語能力（linguistic competence）
② 道具を使用・応用できる能力（tool using）
③ コミュニケーション・会話・表現能力（communication skills/ expressiveness）
④ 思考力（thinking faculty）

これらの特徴は、私たちがさまざまな形で表現し、伝達できること、また物事を想像、そして創造できること、文化や伝統を繁栄できることを意味します。たとえば、「コミュニケーション」には常に対象が存在します。「言語能力」はその対象の領域をさまざまなコミュニケーション法、たとえば話す、書く、身振り・手振りなどにより、かなりの範囲にまで広めることを可能にします。また「思考力」は私たちが物事の正しさや善さを考えたり、心や精神、自己や他について考えたり、あるいは想像できることを意味します。このような特徴と心や精神の働きをもつ私たちは、心や精神に向き合う性質から、常に心や精神を問い質(ただ)し、積極的に自己を変える努力ができます。つまり私たちは本質的に、**心や精神といった質的な側面から自己形成を行う能力**をもっています。これらのことをまとめると、私たち人間は自分自身に対してだけではなく、他を思いやることができ、また他の人にとって正しいことや善いこと、大切なことがわかる力をもっているということです。私たちには本質的に他の存在と関係を築く能力が備わっているのです。

このように、私たちはその特徴として、自己の内に物事の正しさや善さを認識でき、他のことを考える力をもちます。そして他にとって大切なことを理解し、自己を高める努力ができます。私たちにこのような力が備わっているのは、私たち人間が「他と共に生きること」を前提としている生き物だからです。共に生きるという事実は、私たちが他の存在や人にとっても善いことを知り、それを行動として形にすること、その両方の必要性を高めます。

特に「思考力」は、心や精神に注意を向けられる特徴とともに、「哲学すること」につながります。なぜならば、物事に対して「善い解釈とはなにか」を求め、考え抜くことが、私たち人間の自然な心の働きであるとともに、善い解釈を導き出すといった哲学の普遍性が、単に物事を知ることではなく、「解釈」といった理解や受容にかかわる人間らしい価値を提供するからです。つまり哲学は、私たちが自分自身の力で人間らしさを育てるためのもので、私たちの心の豊かさや精神力の表れです。人間として生きる時、心や精神の結晶である哲学は、私たちにとって欠かせないものです。私たちは生きる上で、哲学を避けることなどできないのです。

私たちの「善さ」

哲学することとは、私たちが人間であることを示し、私たちの考える力や他を思いやる力、人間性を育てるためのものです。逆を言えば、哲学を避ければ知性だけではなく、人間としての自己認識を低下させます。人間性を低下させるということは、あらゆる本質を放棄するばかりではなく、私たち人間が生きる際に前提としている最も重要なこと、共に生きることと普遍的価値の共有を軽視し、私たちをバラバラにします。

哲学の普遍性と表現したように、哲学することは、私たちが人間であることや物事の本質をその根にもち、個別の類に属するものではありません。哲学と対象を分けるという考え方もありますが、それは本質を探究するといった哲学の役割や、物事が哲学を基礎にもつという点から本質的には不可能です。たとえば社会制度である政治や経済も、哲学と切り離すことはできません。物事の根源から出発し、その本質を問う哲学は、本来なにものからも切り離すことができません。しかし現在、私たちの周りにある多くの物事は哲学と切り離され、私たちは物事の善さといったあり方を曖昧にし、物事の価値を個人的な側面から論じています。それはいったいなぜなのでしょうか。それは私たち現代人に次のような傾向があるからです。

① 自然や他の生き物と共に生きているという認識の低下
② 人間としての自己認識の低下
③ ②により、普遍的価値を個人的価値観と対立する概念として捉える
④ ③の結果として、普遍的価値の存在自体を軽視する

共に生きることと人間としての自己認識を高めるためには、まず人間としての本質、そして人間として必要とされている・することを知らなければなりません。人間としてのあり方や本質を高めるための価値がなにかを解釈し、その価値に基づいた態度を実践しなければなりません。

言うまでもなく、私たちにとっては人間らしさがなによりもの価値です。私たちがもつさまざまな価値の中で、人間としての私たちの価値は私たちらしさ、第一にその「本質」にあります。簡単に言えば、私たちらしさとは、自分自身だけではなく他の考えや思いを理解・受容し、つながりの中で生きることとです。心や精神を重んじ、知性的に物事の価値を捉えられることです。つまり他と共に生きるための視座、善いこと、あるいは善くないことがわかること、普遍的価値を探し出せることです。

私たちが人間としての私たちそのものや、共に生きるための価値を認識するためには、まず物事を「善さ」の面から解釈し、解釈を共有価値として実践していかなければなりません。また本質は存在相互のもので、その価値を相互に用いることにより、さらにそれぞれの価値を高めます。つまり、物事の本質は存在する場面や立場の中で、その発揮と育成が存在次第で最大限にできると考えられます。

私たち人間に限れば、これらの本質は、私たち次第でかなり高いレベルにまで養えるのは明らかです。そしてそれは人間がつくるすべての物事の本質も同じです。私たちは物事を、私たち自身も含めた「本質を高めること」を軸に進めなければなりません。私たちはかかわりの中で、**互いが善くなること・物事を善くすること**に努めなければなりません。

感覚としてより自由に生きたいと感じる人には、哲学は敬遠されやすいものです。しかし哲学は、物事の本質にかかわります。物事のあり方や価値そのものを活かすために「必要な哲学とはなにか」を問うことは、非社会的態度以外に、私たちにとって人間として生きる上で、大切なものがなにかを問うことでもあります。私たちは哲学を失うと物事の本当の価値を見失います。解釈がなくなれば、私たちは物事に対する最初の価値、つまり「善さ」を共有できなくなります。共有するものをもたなければ共に生きていけず、人間であることや人間としての意志を見失うことになります。

人間らしさを発揮する

これまで見てきたように私たち人間は、本質的に自己と他の関係づくりに必要な心や価値をもつことができます。共に生きるための視座、言いかえれば、秩序を自然ともち得ます。このことは私たちのあり方、さらに言えば、私たち人間のあり方にとってなにを意味するのでしょうか。ここで秩序の意味を見てみましょう。

秩序（**order**）――物事の正しい順序・筋道。社会などが整った状態にあるための条理。

私たちは秩序というものが、単に私たちを制約すると考えがちです。しかし、そもそも秩序とは、共に生きるために大切だとした価値のことで、私たちと他や社会をつなぎ、善くするためのものです。私たちが心や精神、他を大切にし、自己の力で物事の本質を解釈できるといった、**人間らしさを精神面から十分に発揮するための土台**で、私たちを制約するものでもなんでもありません。その目的は私たちにあり方を示すこと、「人間として生きること」にあります。逆に、秩序という土台をもたなければ、心や精神、意志や思考力といった人間らしい側面は、私たちにとって大切で、自然で、必要とされる価値以外のものに価値づけられることになります。私たち自身と他にとって、「価値」を示す秩序は生きる時の自然な土台です。

私たちにとって人間らしさとは「人間性」にあります。そして人間としての私たちの価値は、まず「本質」にあります。私たちの本質は、自己や他にとって善いこと・善くないことがわかること、つまり物事に対して単なる良い・悪いではなく、思考力と知性、思いやる力でもって物事の善さを解釈できることです。物事の善さがわかるということは、自らのあり方や物事の価値を相互的に捉えられるということです。だからもし、私たちの人間としての自己認識が低ければ、私たちは本質を発揮できません。そして人間性を豊かにしたり、私たちがもつさまざまな価値を活かすことができません。私たち人間にとって、まずは元々もっている価値を「善くしようとすること」が、人間性を高めるということです。私たちは生きることを考える際に、まず人間的な価値を考えなければなりません。人間的な価値があるものとは私たちにとって大切で自然で、必要な価値です。共に生きるための、そして人間として生きるために必要な普遍的価値を知ることなしに、人間らしく生きることなどできません。

哲学的に考える

アメリカの大学における「生きる意味（The meaning of life）」の授業を例に、哲学の普遍性についてもう少し考えてみましょう。この授業は私にとって最も難しいものでした。最も根源的な生への問いは、命をもつすべての存在が、絶対的に死を迎えるという事実に起因しています[16]。生と死という議論もさることながら、生と死への解釈の探究は「死」が私たちにとって未知なゆえに、ただただ時間と思考を要します。そして未知であるがゆえに死の探究は、多くの場合、私たちの心を強烈に揺さぶり、消極的な感情、不安や恐れを生みます。私たちはこれらの哲学的な問いに対して、それぞれに頭の中でなにかしら想像し、理解できます。

しかし、生や死に対して解釈した価値を言葉で表すのは容易ではありません。哲学することにより頭や心に浮かんでくることを実際の言葉にする難しさは、哲学の元々の難しさと相まって、この種の議論をいっそう難しくします。

私がこの授業で学んだことは、単に生や死に対する解釈ではなく、この種の問いの難しさを打破するには、哲学する私たちが問いに対して**積極的な態度**をもち、拡大解釈ではなく、より**本質的かつ事実に即した冷静で賢明な解釈**を行い、自分自身が解釈した価値を**他と対話する**大切さです。哲学と道徳は、**「対話や行動を通して他と一緒に考えること」**でもあります。このために必要な行動力、コミュニケーション（言語・表現）能力、知的思考力は私たちに備わっています。そのために必要な思いやる力なども、私たちは本質的にもっています。私たち人間は生について考える時にも、そして死について考える時にも、共に生きるために必要な価値をもてるだけの本質を十分に備えています。あとは私たちがどんな人間に近づきたいか、その際の視座をどこに置くかだけです。他を思いやる人間になりたいのか、あるいは単に利己的な生き方を通すかです。

このように、哲学的に物事の価値を測る時、その価値の領域は自己がもつ人間という側面に広がります。自己のもつ人間としての側面とは、物事を自己と社会や他との関係性の中で考えることです。それは価値の視座を個人的なものから、人間的な視座に広げるということです。本質的な問題や価値を問う時、その解釈は人間であることや社会に結びつきます。哲学は普遍的価値を探し出すことでもあります。このことは哲学がその歴史の中で、常に私たちの「あり方」、つまり道徳や倫理と深く結びついてきたことにも表れています。

「生きること」は例外なく私たちすべてに共通しています。先にふれたように、私たち人間は生きることを哲学する時、生きることそのものへの自分なりの解釈を見つけ出そうとします。授業の中で主に問われたのは「生きることそのものに果たして意味があるのか・ないのか」でした。生きることに意味があると述べる哲学者や学生は、生命の価値や私たち人間の使命や責任、そして権利に意義を見出します。また意味がないと考える人たちは、生きる苦悩や世の不条理さを訴えます。単にそのどちらが「良いか・悪いか」を見つけることが、哲学ではありません。哲学は良い・悪いといった評価ではなく、物事の価値に対する「解釈」です。自分自身が哲学する対象に対して、**人間として生きると**

いう本質的な立場から、物事の価値を見出すことです。

授業においては、さらになぜそう考えるのかを解釈していきます。それは生きる意味のさらなる探究です。ある人は目標をもつことや人間としての成長の尊さを説き、他方は、さらにいかに世の中が不条理なのか、また人間が不完全なのかなどを問います。こうしてどちらも生きることに対する自らの価値を深めます。

ただ、どのような答えに辿り着こうが、特に私たちの本質にかかわるような問いに対する解釈を哲学によって発見しようとする時、単に個人的な視座の中で答えを出そうとするだけでは、その答えは不十分です。私たちは哲学する時、自分なりの解釈を見つけようとします。しかし私たち人間は、生やあり方への問いに対して見つけ出した解釈が、単に個人的な視座に留まるものである時、答えを見つけ出し切れていない感覚が残ります。それは解釈しようとしている問いがより本質的かつ普遍的なものである時、見つけ出した価値が「人間らしさに適っているかどうか」という問いが、一人の個人としてよりも一人の人間として少なからずつきまとうからです。そして哲学そのものが「真理を目指して知を求めながら生きる人間のあり方を指す以上、そこにはかならず普遍性が見て取られる[17]」からです。

これは単に**「正しいこと」**と**「(自分自身が)正しいと思うこと」が異なる**というだけではなく、私たちが本質的に共に生きること、生きる上で他を必要とするからです。言いかえれば、本来、私たちは自分自身が意識するか・しないか、尊重するか・しないかにかかわらず、私たちの最も大きな本質、つまり「人間であること」に合っているかどうかを、私たちが生きる上で下す解釈や価値に求めるからです。そして**数多くの哲学的問いの答えが人間性の中にある**からです。

私たちにとって生きることを考えるとは、「人間として生きること」を考えることです。そして私たちが結果として、哲学の中に普遍的な価値を見出すのは、私たちが人間だからです。私たちは一人ひとりがなにを好み、どう考えようが、人間であることには、絶対に矛盾できないのです。

私たちが哲学に心を寄せるのはなぜか

哲学することとは、単に物事の良い・悪いの判断を行うことではありません。そして、したいこと・したくないことを考えることでもありません。哲学することは私たちが人間として生きる中で、物事の善い側面、つまり本質的な価値を解釈することです。哲学により私たちが探し求めようとしている答えは、私たちが人間として生きる上で必要とするもので、結果として私たちの人格的成長に大きくかかわります。そして哲学により導き出される答えは、その繰り返しの中で、その時、その時、最も善いと考えられ、ブラッシュアップされたものです。つまり、新たな問いから導き出されるであろう新たな哲学は、それまで得た中で「最善の答え」なのです。

さらに、社会で共に生きている事実と哲学的問いの多くが物事の根源、つまり本質にかかわることも、哲学に対する善さへの必要性を深めます。この善さ、つまり「普遍的価値を見つけること」「最善の価値を発見できること」、そして「哲学的に考える中に人間的な成長があること」、これらが、哲学ができることであり、私たち人間が哲学に心を寄せる理由です。

私たちは人生において哲学を繰り返します。その時、その時、最も善いと考えることを私たちは価値として見出します。その時々に「よい」とされるのは「良い」ではなく「善い」ものです。「良い」とは時々の単なる評価により下される価値です。次の時には良いとされないこともあり、環境や状況、あるいは意図や都合によって簡単に変化したり、価値が否定されたりします。しかし「善い」ものとは、それそのものの本質に深くかかわります。本質にかかわるものは簡単に変質したり、変化したりしません。そして拡大解釈されたり、都合により変えられるものでもありません。もし、それが変わったり、変えたりできるとすれば、それは必ず、より善くならなければなりません。

もちろん、発見した解釈が常に正しく、善いとは限りません。しかし私たちは、解釈の善さを哲学し続けることで高められます。**哲学することは物事を露わにすることです**。物事の本質を突き詰め、あらゆる問いの原因を実体のないものに置くとせず、物事の本当の価値を見出すことです。それは言いかえれば、真価（desert）の探究です。さらに言えば、**物事の真理を見抜くことであり、人間らしさの発見**でもあります。

哲学を実践する

哲学は問いの根っこを無視しません。その原因を突き止めようと考え続け、自らの内にある問いをとことん解釈し続け、物事の価値をより深いところまで考え、そして物事に合った自然な価値を引き出すことが哲学することです。哲学は私たちが人間であるからこそ可能なことです。なぜならば、哲学によって物事の本質を解釈するために必要なものは、**継続して考え抜く力や他を思いやること**で、それらは私たち人間に備わっているからです。そして、苦労して導き出した善さを単なる価値にしないためには、解釈した善さを一つひとつ実践することが不可欠です。導き出した解釈が人間のあり方や社会にかかわる時、私たちは解釈した価値を手にしているだけではいけません。私たちは、人間であるなら行動によって、さらに人間であることを証明しなければなりません。

私たち人間は哲学することにより精神力を鍛え、心の力を高められます。善いと解釈した価値を他者との対話で共有し、問い続けることに加え、導き出した価値を実践できます。そうすることは人間として生きる上で、とても自然で、大切なことです。いまを生きる私たちに人間として必要なことは、単に物事を知るだけではなく、深く考え、物事に合った価値を見つけ、価値としたことを実践することです。つまり、より人間らしく生きるためには、私たちはもっと深く考え、解釈を組み立て、行動しなければなりません。そして考えることと行うことを一致させなければなりません。考えと行動が一致していないということは、単に物事に対する認識や解釈が曖昧か、人間として大切なことよりも他のなにかを、特に個人的な事柄や好みを優先させているだけです。

「善さ」から、つまり共に生きるという感覚の中で物事を解釈することは、私たちらしさの一つです。人間性とは私たちの本性に基づくと言われるような傲慢や欲望だけではありません[18]。私たちはこれらのこと、つまり傲慢や欲望だけが人間の本性ではないと判断できるでしょう。地球環境などの社会問題や民主主義の機能不全も、自然環境や民主制度そのものが問題ではありません。議論として多く取り上げられるAIも、AIそのものが問題ではありません。それそのものがなんらかの問題を引き起こしているというよりは、社会でイニシアティブをとっている私たち人間の地球や環境、制度や技術、物事に対する解釈とその取り扱い方が、大きな要因です。つまり、私たちの「哲学と道徳」が、です。そしてそれらが私たちの心と知性、意志と行動の結果だということが、私たちにとっては人間として、非常に大きな問題なのです。

私たちは人間だというのなら、人間らしさでもってそのことを証明しなければなりません。そのためにはまず、善さの面から物事の価値を解釈することです。それが哲学するということで、哲学は人間らしさで物事の価値を問い、解釈を組み立て、共に生きるための価値を育てるために、私たち人間に与えられている大きな力の一つです。

哲学は難しいものです。哲学するには多大な時間と精神力を要します。しかし、哲学し続けることにより価値が一つひとつ組み立てられ、わかりにくいものにも少しずつ枠組みとそれに見合った解釈が生まれます。**哲学的な問いを避けることは、私たち自身の善さを軽視することと同じ**です。私たちは人間としてより善く生きるために必要なことを考え、行っていかなければなりません。そこに人間らしさや自分自身と他の存在意義、より広い意味での達成感や自己実現、そして人間的成長や社会の発展と呼ぶべきものがあります。

私たちはこれ以上、人類や他の生命が築いてきた文化や伝統、尊い財産、そしてなによりも本質的な価値を失ってはいけません。そのためには、私たちらしさを他と共に生きるという視座から解釈し、人間らしい価値を発見し、人間性を取り戻す必要があります。私たち人間は社会で多大なイニシアティブをとり、その考えや行動がさまざまな命に影響を与えます。だから、私たち人間の哲学が社会の中でぼやけていてはいけません。現代に生きる私たちが人間としてもつ最も大きな役割は、哲学を再考し、哲学により導き出した視座の上に社会を組み立てることです。哲学は、いますぐ整理され、共有され、実践されなければなりません。残念ながら、この解釈と実践に対して悠長に構えるだけの時間はもうありません。

さまざまな困難に直面しながらも高度な文明を発展させてきた私たちは、次に人間として本当になにを求めるのか、そしてなにを発展させるべきなのでしょうか。いったい私たちには本当になにが必要とされ、なにが本当に合っているのでしょうか。現代に生きる私たちは量的価値を高度に発達させてきた分、自身が歩むべき道、つまりあり方への明らかな揺らぎがあります。しかし、私たちは自らの意志で哲学的に考え、大切なものを見出し、その価値を行動として形にする力があります。それは私たちが人間だからです。現代こそが、私たちが生み出した哲学の最大の危機でもあり、そして私たちが手にする最後の機会です。私たちが人間であること、そして共に生きているという事実がその手助けをしてくれます。なぜならば、命ある私たちの誰もが、唯一、人間であることには絶対に矛盾できないからです。そして、社会は私たちみんなで命を紡いで築くものだからです。次の節では哲学の必要性についてさらに考えていきましょう。

2

哲学はなぜ必要なのか

まずは「自分自身」から離れてみる

なぜ私たちには哲学が必要なのでしょうか。私が哲学を学び始めた時、最初の授業はこのように始まりました。「哲学は私たちを慣れ親しんだものから引き離します。（中略）そして哲学すれば不安を感じることがあります[19]」。これは私の経験ですが、哲学とはなにかを学んでいくにあたり、私たちは一度大きく思い悩む場面に出くわします。私たちは生きる上で、なにもあえて苦しく、厳しい道を選ぶ必要はありません。私たちは不安や苦しみを伴うかもしれない哲学など、避けていいようにも思えます。また本質や根源など当然として備わっていることは、あえて考えなくてもいいことかもしれません。しかし、私たちの多くは人生において「哲学」に出くわします。それはなぜなのでしょうか。この最初のメッセージに込められた「哲学に伴う不安」とはいったいなんなのでしょうか。この不安は単に哲学そのものの「難しさ」ではない気がします。

メッセージの続きはこうです。「哲学を始めれば、自分を手放さなければならない」。なぜ哲学するためには、一度、自分自身を手放さなければならないのでしょうか。たとえば、哲学と価値観の違いはなんなのでしょうか。少し考えてみましょう。

「価値」とは「あらゆる個人・社会を通じて常に承認されるべき絶対性をもった性質。よいといわれる性質」です。そして「価値観」とは、私たちが「物事を評価する際に基準とするもの」で、「なににどういう価値を認めるかという私たち一人ひとりの良い・悪いの判断」です。つまり価値観とは、物事の意義や価値を自分自身の関心や欲望、欲求をもとに考えたことで、価値とすることは、私たちの物事への関心や欲望、欲求の度合いにより、つまりその時々に基準とするものによって変化します。[20]

そして、「解釈」とは「物事の意味や自他の行為を受け手側から理解すること」です。認識や判断、受容や理解といった他の存在と深いかかわりをもち、自分自身が物事に対して、どう思うかといった単なる感じ方や自分自身の関心、欲望・欲求の度合いのように容易に、そして都合により変化するものではありません。

価値観にしろ、解釈にしろ、私たちの物事に対する「価値づけ」は、私たちの物事の取り扱い方や行動を左右します。だから物事の価値を捉えようとする時、重視することが物事の精神的側面なのか、あるいは物理的側面なのか、本質を考慮するのか・しないのか、またよく考え抜いた結果なのか・そうでないのかで、「価値」とすることはずいぶん変わってきます。

私たち人間はその特徴として、自己だけではなく他にとって必要なことや大切なことに気づくことができます。物事の価値を主体的に、そして客観的に考察し、より広い視座から物事の価値を解釈できます。本質的に私たち人間は他や社会に自身を対峙（直面・含むイメージ）させ、自己の価値観を築きます。本来、私たちの価値観は自己が生きる現実、他や社会につながっています。つまり私たちにとって現実的に物事の価値がわかるとは、人間らしさを基準に物事の大切さを認識できるということです。私たちにとって現実的に考えるとは、価値観を築き上げる過程で**「他を含む自己」の視点でもって物事の価値を解釈すること**、つまり「哲学すること」です。

哲学は社会や他の存在なしでは考え抜けない性質のものです。哲学することは常に私たちを他と社会に対峙させます。物事の本質を見抜くためには、必ず他と対峙し、他と共にあることを前提に物事について考えなければなりません。このことが、哲学が個人的な価値観や単なる好き嫌いといった好みとは異なる点です。そして普遍的価値と個人的な価値観との大きな違いです。個人的な価値観とは、あくまで個別の価値観、好みや趣向です。そして普遍的価値とは、単なる考え方や好みではなく、人間としてのあり方、本質といった視座をその根にもちます。人間的な価値、つまり普遍的価値が、私たちが人間としてもつ、主体的かつ客観的な価値です。

特に私たち現代人は、私たちがもつ客観性に目を背け、**個人的主体性の側面にのみ価値を置こうとします**。そうすることにより、深く考えることを避け、自分の都合を押し通せるからです。もっと言えば、価値観をもってなにかを行おうとする際に、普遍的価値、つまり道徳や倫理を必要としないこともできるからです。

しかし、それでは自らの考えや行動に、他への思いやりを添えられません。共に生きていくことも、そして人間らしく生きていくこともできません。人間として生まれたからには、私たちに備わっている力や期待されている役割、つまり人間として生きることの認識とその実践なしに、自らが人間であること、そしてそのためにすべきことを果たすことはできません。主体的かつ客観的に考えられるのは、私たちが人間であるからこそ可能なことです。他や社会といった判断や選択に必要不可欠な存在を考慮すること、人間的な価値に重きを置くことなしに、自己の価値観を主体的にすることなどできません。

もちろん私たちは一人ひとりの価値観をもちます。しかし関心や欲求、欲望は、たとえば趣向や好みのように他の人も望むとは限りません。私たちが共に生きる価値を重んじるならば、その際に必要な価値は、ある人には良くて、ある人には良くないという類のものではありません。また、ある人には必要で、ある人には必要でないといった類の価値でもありません。ある人は正しいと思い、ある人は正しいと思わないことではありません。**つまり「人による」といった類のものではありません。**

たとえば、他の存在に配慮しない思想や信条、差別などの非人道的な価値観は本来「価値観」とは呼べません。共に生きる時、秩序が必要とされるように、価値観にも私たちが知っておくべき秩序や節度が内容や状況に応じて必要です。その視座は私たちにとって最も本質的なこと、「人間であること」です。私たちが人間として生きる限り、このことが変わることはありません。

「自分自身」との対峙

哲学を始める上でいったん自分自身を手放さなければならないのは、哲学することに客観性を含んだ人間的な主体性、つまり他とのかかわりや対峙、他への思慮があるからです。自己の内にある「個」の考えをいったん脇にやり、「他」を含めながら、価値を解釈し直します。私の経験ですが、この「自己」の認識は、哲学する過程において大きな苦しみを伴います。それは自己の内に留まっている個の価値観を、「他を含む自己」の中で解釈する必要があるからです。これは哲学の普遍性という性質とともに、他と共に生きることが、私たち人間の存在基盤だからです。

解釈とは自己についてだけではなく、他についても考えることです。物事の価値に対する正しさや善さで、自分自身が正しいと思うことや良いと思うこととは異なります。本質的なこととは、それぞれのものの価値にかかわり、私たちが個人的にどう思うかにはかかわらない価値です。哲学する過程において、私たちは自分自身を一時的に手放すだけではなく、自分自身がもっている価値観の中で、本来は人間として必要なのに欠けている面に向き合わなければなりません。哲学することは、私たちのもつ**利己的な部分に直面すること**でもあります。

この個人的な価値観と普遍的価値の対面は、当然ながら苦しみをもたらします。その反面、この対面ができないと、私たちの物事に対する解釈は、いつまでたっても個人規模の枠組みに留まり続け、自身が暮らす社会の諸問題はおろか、自分自身の問題でさえ、人間的かつ長期的という共同的な視座から解くことはできません。私たちは同じ社会で暮らす同じ人間でありながら、根幹や本質にかかわるような問いに対して、共有できる価値とはなり得ない解釈をもって暮らさざるを得なくなります。共同的な精神や共同するために必要な価値をもてなければ、私たちは社会という枠組みに共に生きながら、その中において分断されます。分断しているとされる現代社会において、私たちが自らや他者に対して抱いている表面的な感覚は、現実の中で生きることや社会そのものに対する不信や逃避、虚構の感覚の一種であり、共有価値をもたないことは、共に生きるという本質をもち、生きる感覚を必要とする私たち人間が社会不安を引き起こす原因になります。

このような社会の中で私たちが不安を抱くのは、人間として当然です。人間として本質的に他とのつながりを必要とする私たちが、このような芝居じみ分断された（segregated）社会で、不安のない、幸せな人生を歩めるはずがありません。私たち人間は本質的に、他の存在や社会と切り離されると生きてはいけません。切り離すというよりも、**つながり合ってしか生きていけません。**哲学する際に最も大切なことは、哲学から導き出す価値を私たちが単に個々として必要としているだけではなく、**人間として社会に生きる上で自然と必要とする**のだと認めることです。

表面的な価値や個人的思考が中心の価値観が導く価値は、個人規模であり続けます。問題の解決に対して人間らしい答えが出せません。私たちが、生まれながらに社会という枠組みに組み込まれている人間という、相互的かつ共同的な存在である以上、哲学することが結局のところ、価値観や好みではなく普遍性、つまり物事を善さの面から価値づけるといった人間的な解釈に、そのつながりを求めるからです。そして、哲学によって答えを導き出そうと試みる私たちが、単なる個人としてではなく人間として、結局は物事に対する善い解釈、つまり共有できる価値、つながり合うための価値を求めるからです。

さらに言えば私たちは、人間であるからこそつながりを求め、そのために必要な価値を自らの手にもち、そしてそれがもたらす安心感や信頼感、そして存在感覚や居場所、自らの存在意義といった、人間として生きる上で大切な感覚を必要としているからです。生きる実感は他の存在によって実現されます。私たちの意志は他の存在により強められます。そして一人ひとりの存在意義は、他との関係や触れ合いによって深まります。私たちの特徴である他のことを考える力、つまり共感し、調和する力は、他とのつながりによって育まれます。一人の人から始まった生きる問いは、単に一人の人の内に留まるのではなく、広く、そして深く、他や社会とつながります。私たちと社会を構成する基本的な学問の根幹となる哲学は、なによりも私たちと他をこの世においてバラバラにしないためのものです。

「世界」の管理者として

さらに私たちにとって価値観そのものが重要なのは、私たち人間がその特徴ゆえに社会の中で最も大きなイニシアティブをとるからです。私たちが価値とするものは、他の生命の状態と社会の質そのものをつくります。だから私たちは、たとえなにかを欲したとしても、共に生きるという枠組みにおいて善くないと判断する考えや態度には踏み留まり、さらなる思考と対話を重ね、必要な物事を解釈し、それに必要な態度を実践していかなければなりません。

このことをもう少し掘り下げて考えてみましょう。たとえば私たち人間は、自然を利用する能力をもちます。このような能力は、単に物事や他の存在を「利用できること」だけに働かせるものではありません。この能力は、私たちが人間らしい解釈や態度ができる知能や知性をもつために備わっています。圧倒的な能力をもつ者の知性が欠ければ、遅かれ早かれ他の存在はその命を失う日がやってきます。私たちは他の命や社会の維持と健全な発展のために、社会で共有できる価値について解釈し、実践する役割を担っています。他の生命から知性を試されています。私たちは自らの価値観と行動が、他との関係性や命そのものにつながることを常に意識しなければなりません。

哲学は世界を変えることができる

「共に生きる」という哲学的視座こそ、哲学する私たちが最初に直面しなければならない「自分自身」です。哲学を個人的な枠組みに留めることは一見、私たちの価値観や意志の自由を尊重すると思われがちです。しかし、私たちにとって本来ならば共有すべき価値を個人的な枠組みで解釈すると、そこから導き出される価値は個々の欲望や関心に留まり、性質として恣意的・傾向的になり、解釈を自己都合的にします。

個人的な枠組みに留まる解釈は、共同的な価値、特に秩序や責任感といった、他への思いやりや分別に明らかに欠けた行動に結びつきやすくなります。社会的責任が欠ければ他に対する態度を誤り、他を傷つけるだけではなく、社会的責任がもたらす普遍的価値、そして公正や平等、自由といった諸原則がもつ人間的な価値をも傷つけることになります。つまり共有できる価値を個人的な枠組みに留めれば、私たちが価値あるとしているさまざまな物事の真価を損なうことになるのです。

メッセージの結びはこうです。「哲学は世界を変えることができる」。哲学することを経て新たに得た世界観は、私たちを何倍にも豊かにします。自己のこれまでの考え、心の中の一切を手放すことは、自分自身を生きるという感覚を必要とする私たち人間にとって、非常に苦しいものです。自分自身に対する認識を、その本質として必要とする私たち人間にとって、自分自身ほど離れがたいものはありません。だからこそ、その別れの苦しみを乗り越え、再び「私（たちの中の私）とはなんなのか」を哲学することによって取り戻した自己は、手放す前の自己を遥かに超えています。自分自身の内にのみ留まっていた時には考えもつかなかったような広い価値観の中で行動がとれ、自己実現を生み出す可能性を秘めています。そのような立場で物事の価値を考え抜けることは、私たち自身を一人の人間として社会の中で活かすことでもあります。自己の内にある価値観を見つめ直すことは、私たち自身がもつ**価値観の一切を掘り起こすこと**です。それは自分自身の良い面と悪い面、その両方です。それを善い面から解釈し直すことは、一人ひとりの人生の意義や社会に生きる意義を見つける糸口になります。なぜならば、物事の解釈である哲学は物事の価値そのもの、本質に私たちを近づけるからです。そして善い面とは本質に近い存在として、つまり単に個人としてではなく、人間として物事を解釈することだからです。

私たち一人ひとりが具体的に抱える価値にはもちろん個人差があります。しかし、社会という共に生きる場で共有できる価値については、いっそう、そのような差はないに等しいものです。そして幸福や平和などといった抽象的価値にも、それほど大差はありません。共に生きる視座からの価値、つまり私たちが人間として必要とする価値は、当然ながら人間相互のものです。一人の人としてもつ価値観と、共に生きる人間がもつ価値のどちらが優れているかといった優劣の問題ではありません。現在、私たちに問われ、そして私たち自身に問うべきことは、人間的な価値を私たちが築き、共有し、活かせているかどうかです。そして、それがなにかということです。

私たちと他は哲学によってつながります。社会や他とのつながりは、人間らしさを高めます。私たち一人ひとりはさまざまな価値観をもちながらも哲学によってつながり、人間として共に生きるという視座で共通の価値を見出しながら、互いを尊重できる人間関係や社会を築いていかなければなりません。それはなにも難しいことではなく、「深く考え、行動すること」によって可能です。社会に生きている限り、私たちには物事に対する価値づけが必要とされ、私たちも人間らしく生きるために、それらの価値を必要とします。さまざまな価値の中にも、私たちが人間らしく生きようとする姿勢や互いの価値観を大切にするための共通の視座は必ず存在します。それはなによりも私たちが他のことを考えることができ、他との関係性の中で大切とした価値を重んじられるという本質をもつ、人間という存在だからです。

私たち人間は、社会において他の存在を前提とした哲学的視座をもつことができます。それはなぜでしょうか。それは哲学が個人規模の価値観から「自己を超えた他に価値解釈を見出す」という、より幅広い視座での人間的価値の成長を促すからです。そして、新たに発見された解釈により育まれる心や精神は、共に生きることや本質、心そのものの豊かさに、言いかえれば、**人間的な豊かさに直結するから**です。私たちの心は共同の精神がなければ、広く、大きく、豊かにはなりません。そしてまた、私たちはそういった心の豊かさを高める努力をしなければ、人間的な豊かさをもちながら人生を歩んでいくことはできません。人間らしく幸福で平和な社会を築くことはできません。哲学は私たち人間が、人間であるがゆえに存在します。もっと言えば、哲学は私たちにとって、私たちが人間であるために必要なものです。

人間としての人生設計と社会設計のための価値解釈である哲学は、自分自身の内にある価値観をまずはほとんど手放してみることを教えてくれます。そして新たな解釈を私たちに差し出します。その時に、どの価値を手にするかは、一人ひとりの人生設計やあり方、あるいは意志によります。「人生をより善くしたい」と私たちの心が働くのなら、私たちは人間としての私たちを大切にしながら、**人間性を育むことを軸に物事についてもっと深く考える**べきです。

哲学することは困難ながらも、知能から知性を導き、想像力から創造力を養い、個から他を含む自己に私たちを導きます。私たち一人ひとりにとって、そして社会で生きる人間にとって、最大の成長と最善の答えを与えてくれます。社会における一人ひとりのあり方の確立を、他と共に生きる視座の中で肯定できます。これらのことはひいては、公正や平等、自由のような社会的価値や感覚をつかみ、人間的な価値の尊重や実践につながります。つまり諸問題を哲学的に問うことは、私たちの人間としての幸福感と豊かな社会の創出につながり、私たち自身の人間性を育てるためのものなのです。

これこそが私たちにとって、哲学が必要な最も大きな理由です。

3　命をめぐる哲学

「命」の意味

本書においてこれまで、なぜ共に生きることが、つまり「つながり」が私たちに価値をもたらすと述べてきたのでしょうか。それは第一に、「命」に関係しています。この節では「命の価値」をめぐる哲学について考えていきましょう。

私たち一人ひとりはそれぞれに異なり、全く同じ人間はいません。一人ひとりが個性をもっています。では私たちは、ただ一人の人であるというだけで、人間らしい人生を築き、善い生き方を可能とする社会を築けるのでしょうか。

私たちの誰にでも、そして他の生き物にも共通していることがあります。それは「命がある」ことです。誰もが数多くの偶然や歴史、出会いや出来事の中で命を授かり、命と命から生命を受け継いでいます。命というものは歴史の中で単にそれぞれに浮揚しているのではなく、連綿とした存在です。一人ひとりがどう感じようが、命の一つひとつはつながり合っています。私たちが自分自身をどう取り扱おうが、私たち自身がいま生きていることは、偶然も必然も含めた数え切れない出来事や人たち、命のつながりがあったからこそ可能となったものです。他の命とのつながりを感じることは生き物として最も大切な感覚です。私たち一人ひとりの中にこの感覚を築くためには、命そのものの価値と共に生きる価値をどう解釈するかがカギになります。

「命」は哲学的に物事を考える時の最も大切な視座です。なぜならば、私たちにとって命より大切なものはないからです。また命こそが、私たちが生まれて最初に身につけることができた価値だからです。すべての存在に命があることを認識し、そばにある命に目を向け、互いに命を紡ぎながら共に生きているという視座をもてたなら、その命を「社会の中で活かすとはどのようなことか」という次の哲学に出合うことができます。自分自身の命のことを考えるだけでは、物事の価値など解釈できません。なぜ、共に生きるという価値が私たちのあり方や意義を深めるかというと、**命ある存在は他の存在に支えられてこそ成り立つ性質のもの**だからです。そして誰もがそれを支える側でもあるからです。

私たちが自らの命の意義を考えるにあたり、いい人生を歩みたいと考えるのはごくごく自然な想いです。そして社会において、なんらかの形で自分自身の能力を発揮したいと考えるのも、とても自然なことです。そのためには、まず命を視座に物事を考えることです。私たちにとって命より価値あるものはありません。命は私たち一人ひとりに差し出された最も大きな価値です。そして私たちにとって、単に命を生きるというよりも、共に生きるという命のあり方を視座に生きること以上に、人として重要なことはありません。

「善く生きる」とは、まずは誰にも、なにとっても一番大切な命を活かすことです。命や共に生きるものの価値を認識せずに、人生をどう生きればいいのか、人間としての「善き生」とはなにかという哲学的問いに答えることはできません。なぜならば、命が最も大きな価値をもち、私たちが人間だからです。最も大きな価値を軽視するのなら、その他の価値や本質など軽んじられることは想像に容易いことです。私たちは命とその自然なあり方を視座にした哲学を共有する必要があります。ここで二つ目の哲学的視座の登場です。

モラルコンパス 2 「私たちすべては命という最も大きな価値をもち、共に支え合い、生きている」

本書を読んでいる私たちに共通していることは、生い立ち、性別、宗教、文化の違いこそあれ、命ある人間であることです。私たち人間は「個」としての自分自身だけではなく、知性によって自己を超えた「他」について考え抜く力が必要とされ、またそのような能力を本質的にもっています。人間としての本質に沿い生きることは、最も自然で、私たちの価値を最も高めます。私たちには、私たちが人間であるからこそ可能となり、与えられていることがたくさんあります。私たちがそれに応えることができているか、それが、いま私たち人間が抱える最も大きな課題です。

命に心を寄せる

この地球上では、どんなに小さな存在であっても、一つひとつに命があり、それぞれの役割を担っています。生命は人間ひとりをとっても、六十兆個という細胞の総体でできています。ありふれた日常の中でも、ほんの少し周りに目を向け、耳を傾けるだけで、どれほど多くの命に満ちあふれているかわかるはずです。私たちが暮らす世界は命の集まりです。そして、数多くの生命の中でも私たち人間は、生きる意味をより広く、そして深く感じられる本質をもち、活かせる存在です。そのための十分な知能と知性をもち合わせているはずだと、私たち自身も考えています。

「命や心は目に見えない」、それは単なる言葉遊びです。私たちは相手の表情や立ち居振る舞いに、そして人間であれば言葉や表情の中に、命や心を感じることができます。その意味でも、心に触れることはできます。それは手で触れることさえできます。自分自身が心から感じることに対して、目に見えないからといって懐疑的・否定的になってはいけません。私たち人間が心や精神をもつことは、私たちに目に見えないことを理解し、認識できる力があることを意味しています。その中でも「愛情」はその最たるものでしょう。自分自身の人生に真摯に向き合うことも、自分自身に対する深い愛情です。そして、自己を含めた他に解釈の領域を広げていけることも、愛です。

「私たちすべては命という最も大切な価値をもち、共に支え合い、生きている」。この視座が導くのは自己の存在意義だけではなく、他の存在意義です。それは共に生きる存在全体の意義であり、命への本当の尊重です。いま私たちは、まず私たちのどのような考え方と行動が、他の生命や私たちの本来の価値を損なっているのか、また逆に、私たちの考え方と行動がどうあれば他の生命を保護し、尊重するのか、そして私たち自身も人間として幸せになれるのかを考える必要があります。

一人ひとりの哲学的な視座こそが、互いの存在意義や生命に対する真の尊重につながります。なぜならば、哲学が見つけ出し、道徳が成し遂げるものは、大切ななにかを与えてくれたり、気づかせてくれたりするからです。そして哲学と道徳が見出す価値は、なにが必要かを判断する力を与えてくれるだけではなく、他を思いやる心や思考力といった、私たちの本質を高めてくれるからです。

命の価値を知る

明らかに現代を生きる私たちには、哲学と道徳という人間らしさが欠けています。哲学や道徳が欠けた個人主義や人間中心主義は、自由の名のもとに、社会的な役割や共有価値の重要性を軽減させます。一方で、個人という枠組みに限定された非常に自由な一人の人であり、他方で、非常に無秩序で、表面的、そして身勝手であると言わざるを得ません。

私たちが最も知能が高い生き物として生を授かったのなら、私たち人間は自らの意志でもって社会をつくりあげる一つの集団でもあります。私たちは知性によって哲学的視座をもち、道徳観を鍛えることができます。自らの思考や意志を行動として実践し、形にできます。哲学と道徳は過去への理解、現在とそして未来の人間と社会のあり方そのものに大きな影響を与えます。私たちはこれまで私たちに哲学や道徳が欠けていたために、さまざまな価値あるものが深く損なわれてきた事実を知っています。哲学は私たち自身の心や思考が形になったもので、どのような哲学と対面するかは私たち次第です。そしていま、私たち自身が心や社会に抱えているものは、私たちが物事を**どれだけ深く考えてきたのか、他をどれほど思いやってきたのかの結果**なのです。

命の価値を認識し、尊重することは、なにも難しいことではありません。私たちは身近に存在する自然や他の生命に触れ、価値を知ることにより、本質的な価値、つまり私たちにとって、まず必要な哲学的視座がなんであるのかを学べます。私たちは他との関係性を踏まえて行動する時、つまり共に生きる中で、自らも命を生きていること、そして活かされていることに気づくことができます。なぜならば、私たち人間が知性をもって生まれた意味は、なにも物理的発展や個々の幸福の最大化を目指すためではないからです。私たちの知性は、私たち人間が必要としているのにもかかわらず欠けている物事に気づき、真摯に自己や他に向き合い、物事の価値を認識し、考え抜き、善い現実をつくる、つまり物事を最善化するためのものです。そしてなによりも、私たちの内面を豊かにするためのものだからです。だからもし、人生や社会のあり方に不安や違和感を抱いているのなら、またもっと一人の人として人格的に成長し、善い人生を送りたいと願うのなら、物事の解釈を、まずは命とそのつながりから行うことです。

物理的発展を叶えたにもかかわらず、自らだけではなく他の存在を危機に晒（さら）している時、私たちはすでに現代の諸問題が哲学と道徳、知性と心、すなわち人間性の欠如によること、そして私たちにとって最も大切な価値、命を軽視していることに気づいています。このことは私たちが人間として最も憂い、恥ずべきことです。私たちは私たちの解釈と態度を善くしていかなければなりません。私たちが知的思考から自身に対する解釈とあり方を変えられるのが哲学で、それは人間であることの認識によって最大限可能となります。そしてその認識を深めるカギは、私たちの誰もが手にしている**「命」の価値を、哲学的視座の中心に添える**ことにあります。

4　自然の理法の中の人間

自然の摂理と私たち

いわゆる学問としての（西洋）哲学は、古代ギリシアにおいておよそ二千七百年から二千六百年前に誕生したと言われています。そして、人間以外の生き物にも人間と同じ形でないにしても、生きるために守っていること、つまり私たちでいうところの秩序があります（少なくとも現代では、科学的に他の生き物にも知能が備わっていることがわかっています。生き物の内面について現時点でわかっていることは非常に限られています）。私たちはそれを「自然の摂理」と呼んでいます。

自然の摂理はいつ誕生したのでしょうか。地球上に生物が出現したのは三十八億年前、そして私たち人類は七百万年前、霊長類の祖先から分岐したと言われています。「地球の歴史を二十四時間とすると、人類はわずか最後の一分を切ってから出現した[21]」に過ぎないのです。人間が誕生する遙か以前に多くの命があり、「あり方」が存在し、それにより地球上に多様な生命が維持されてきました。秩序は人間以外の生き物にとっては、自然のしくみの中に長らくあり続け、人間の出現によって誕生したわけではありません。自然の摂理を超越するような生き物など、本来この世には存在し得ません。私たち人間もそのしくみの中に生まれたに過ぎません。そのしくみを理解し、その摂理の中でさまざまな命を可能な限りつなぐために行動することは、この地球で共に生きるための基本原理です。

私たち人間は自然と生命のしくみを理解し、知識として得られるだけの知能をもちます。そして知性により、そのしくみに合った態度がなにかを知り、実践できます。社会でイニシアティブをとり、知能や知性の分だけ意志とされる「一人の人間としての自分自身」をもち、行動できます。この知能と知性を他の生命を含めた規模で活かすことは、私たちが他と共に生きる時の存在要件です。

この点で私たちに必要なのは、生命の価値を人間以外の生き物を含めたより広い規模で解釈し、その維持のために必要な価値を実践することです。そのためには、まず自然の摂理、いわゆる自然界における哲学と道徳を尊重しなければなりません。なぜならば、自然の摂理は命をもち合う同士が、互いにとって最も価値あるものを活かしながら結びつき、調和の内に多様性を築き、日々生きる中で**互いに寄り添うこと**だからです。

それは人間以外の生き物に、人間が考えるような意志があるか・ないか、哲学や道徳があるか・ないかといったレベルの話ではありません。人間と同じように動植物は動植物で、可能な限り自らの存続だけではなく、他と共に生きるという秩序の中で刻々と命を、文字通り生きています。それは長い歴史の中で、同じ時代に存在する互いの命に、互いに関連し合っているという感覚を、命を授かった一つの存在として認識しているからに他なりません。これは知能や知性の高さ・低さといった問題ではなく、生命そのものの感覚です。なによりも、この秩序の感覚が他の生き物に備わっていなければ、三十八億年という途方もない時間の中で、これほど多くの生命が多様に存在し、調和することはなかったに違いありません。

連綿とつながる多くの命とその秩序の中で、生命の摂理を誰かが逸脱することの代償は私たちの想像のつくところです。それが圧倒的な知能をもつ人間なら、その代償は非常に大きくなります。先にふれたように、一つひとつの命は単に浮揚しているのではなく、生まれた瞬間、互いに関係し合い、そのつながりを保つためにあり方・存在要件といった「秩序」を共有しています。それは共に生きることを守るための価値の共有です。誰が価値をもつか・もたないかの線引きはどこにもありません。ましてや、その価値をもちたいのか、もたなくていいのかなどといった選択肢は誰にもありません。

薄弱な意志と強欲の果て

地球は誕生以来、四十六億年の年月を経て、現在の姿・形をつくりあげてきました。物事を一つひとつ築いていくには途方もない時間と命の営みが必要です。現在私たちが目にするすべてのものは、自然の内にある生命と生命の共同と補完という互いの絶妙な（科学的にはこのようにしか表現できません。このように自然と生命の働きはこの言葉が適切であるように、本当に驚異的です！）働きにより可能となったものです。共に生きるという視座の中で、ある種の生き物だけが、その時間の流れとあり方から逸脱することはできません。程度の差はあれ、必ず他の命と共に生きるという視座から、あり方に対する哲学をもたなければなりません。それはより大きな知性をもつ生き物にはより必要で、可能なことです。

特に私たち人間はいまそうしているように、知能と知性で社会を管理し、運営しています。つまり他の生き物の状態をつくる立場にいます。私たちは知能と知性を働かせ、調和を築けますが、知能だけを働かせればその反対のことも可能となります。私たちが知性を重んじない時、その行動により起こることに、なんらかの善いことを期待することはできません。地球環境問題だけをとっても、その原因は明らかに動植物や気候が単に変化したからではありません。この問題は私たちの利己的な価値観や薄弱な意志、あるいは強欲の結果です。私たち人間はなぜ人間本位の価値観を生きる際の基準と見なすのでしょうか。それは正しいことなのでしょうか。また、なにか善いことにつながるのでしょうか。

数多くの研究者が指摘しているように、意識的になんの対策も講じられなければ、私たちは今後十年以内にこれまでにない甚大な代償を経験します。これらの問題の多くは私たち人間の同一の種や他種の生命に対する価値解釈と、共に生きるという視座の欠如によるものです。新しい技術がこれらの問題を解決してくれるであろうという考えは、非常に無責任で、他人主義的で、傲慢です。これは人間への希望や期待というより、できる限り深く考えずに私的な利益を現在において享受し、単に未来にその他のことを押しつけているだけです。希望や期待を自らの知性の欠如や利益を得る代わりに用いるのは、非常に性質の悪いことです。そしてなによりも現実的な根拠はありません。私たちは社会において、常に現実的に物事を解決していかなければなりません。それが私たちが考え、行動できる範囲です。物事を事実に沿って正しく解釈し、価値や本質を見抜き、実際に問題が起これば解決できる、これが本来、知性的な思考と態度と呼ばれるものです。つまり知性とは「他との関係性・人間性を軸に物事の本質・価値について考えられること・真理を見抜けること」です。また現代社会において、知能は「資本主義社会に役立つ能力」と解釈されがちですが、人間の知能は「知恵や知性にかかわる思考や理解」といったもっと本質的なもので、意味としてももっと広がりがあるものです。

私たちは利己的な想いを叶えるためだけに、知能と知性を授かったわけではありません。私たちが他の生き物よりも優れた知能や知性をもつというのなら、私たち人間が真の意味で知性的に知能を働かせる生き物だということを、思考と態度、そして行動で示す必要があります。それを可能とするものが、人間らしさの面から物事の価値を解釈し、見出した価値を実践すること、哲学と道徳です。私たちは哲学と道徳を軸に「他を含む自己」にあり方を見出さなければなりません。つまり**「他と共に生きるために必要な人間らしさとはなにか」**についてもっと考えていかなければなりません。

知能や知性はそれらがあるからといって、どうにでもできるものではありません。命と共に生きること、この最も大切な視座を認識できず、大切にできないような社会は、その他の大切なものをも大切にすることなど絶対にできません。利己的な価値に目を向け、命の大切さや共に生きる価値をあり方の軸からはずすことにより、私たち自身を大切とする価値の外側へ追いやることは絶対に避けなければなりません。それを避けられないなら、代償は必ず訪れます。大切なことを避ければ、結果として私たちと他にとって最も大切なこと、「命」、つまり存続にかかわる問題にいつかは必ずつながります。

「多様性」がもたらす本当の価値

共に生きる意識の確立を疑問視する中に、人間には多様性があるという議論がしばしばなされます。当然、私たちは多様な価値、そして価値観をもちます。さまざまな価値観とは、言いかえれば、意見や考え方、感じ方の違いです。個人の意志や価値観、個性の違いから、私たちは哲学を価値観そのものや多様性と切り離して考えがちです。しかし、哲学の普遍性や秩序的な側面は、価値観や多様性と相対しません。なぜならば哲学によって価値を知ることは、「善い」という側面から物事を解釈することで、「共」にという視座から価値を見出し、さまざまな価値を最善な形で活かすことを可能にするからです。互いを侵さず、尊重し、不足しているものがあれば補い合い・支え合う、そういった生き方ができることが、「共に生きる」ことです。

哲学そのものの性質は、私たちが多様な価値や個性をもちながらも、共通した理念や価値をもてることを意味します。そして、秩序そのものは多様性の維持と尊重に不可欠な「調和」を促します。水質が良くなるとたくさんの生き物がそこに生まれ、また戻ってくるように、多様性とはその場の「質」、精神的な価値にかかわるものです。つまり多様性や多様な社会とは、単に個人の権利を認めるというよりも、まずは**多様な存在の価値そのものを認め合うこと**で、「誰かを排除したいと思っている人たちも排除しない（包摂する）という意味ではありません[22]」。人間や生き物としてどの命の価値も同じであること、この視座が多様な価値を尊重するという第一の意味です。それぞれの命の価値が同じであることが理解され、価値の中心に添えられ、そしてそれぞれの命の違いを補い合い、支え合うことが、多様性を認めるということです。

命を公正・公平に扱わず、そして互いに補い合い、支え合うことなしに、人間社会に多様なありようが存在したり、尊重されることなど決してありません。一人ひとりが異なることも、命の価値の公平性と補い合い、支え合うといった価値を尊重できる視座を築けてこそ成り立ちます。生命そのものとその本質が尊重され、また多くの生命が調和しながら生きる社会環境がなければ、多様な価値を成り立たすことなどできません。**多様な存在による調和という思慮と節度のある社会**だけが、多様な価値を互いに認め合える原理をもちます。「社会的な価値理念の多様性は、単に人間の価値観の多様性から生じるというだけでは十分ではない[23]」のです。多様性という価値にとって本当に大切なことは、それが単にたくさんあるだけではなく、存在そのものが成り立っている、つまりそれぞれの存在が尊重されているかどうかです。具体的に言えば、公正や平等、正義などの普遍的・道徳的な価値が守られ、実践されているかどうか、そして誰もが手にしている命が価値の中心に添えられ、補い合い、支え合えているかどうかです。

「アイデンティティ」と普遍的価値の問題

共に生きる人間として大切な価値を理解し、共有することと、アイデンティティの問題を同時に論じてはいけません。なぜならば、第一に、一人の人間をとっても、私たちは国籍・宗教・性別など非常に多くのアイデンティティを保有し、複合的に生きているからです。一人の人の意見でさえ常に一致するとは限りません。またアイデンティティとは、自己と他を同時に考えることではなく、分けて考えることです。物事を分けて考えることが先立てば、私たちは本質や普遍的価値を忘れがちになります。個別の価値に重きを置きがちになると、補い合い、支え合うといった相互的な価値を軽視しがちになります。私たちにとって本質的に大切な価値は、自己と他を分けることでは、考えたり、成り立たせることができません。

思考し、理解し、判断することは、単に自らが感じたことを表現したり、述べたりすることではありません。私たちが抱える共通の問題は、一人ひとりのアイデンティティを頼りに解決することはできません。私たちは「違い」ばかりに注視するのではなく「同じもの」についての価値も認めなければなりません。私たちは多様性を考える上で、哲学が趣向や感情を満たすためのものではないこと、単に自分自身の意見や意志を通すためのノウハウと大きく異なることも理解しなければなりません。

誰もがそれぞれの価値観をもち、また私利私欲をもっています。しかし、私たちは私利私欲を追求するために生まれてきたのではありません。誰にとっても生きている時間は極めて尊く、自らの思いやりや努力の欠如のために命と人生、人間であることを犠牲にしてはいけません。社会で共に暮らす時、私たちは言葉通り、運命を共に生きています。知能が高い側の行動はいずれ双方に多大な影響をもたらします。地球環境や社会制度などの問題は、それらそのものが問題なのではありません。社会でイニシアティブをとる私たち人間が、他の生命に対する価値を知的に理解せず、非知性的に生きているからに他なりません。人間が他の動物よりも知能や知性が高い生き物だということは、よく述べられることですが、本来の人間の優秀さは、人格という心の豊かさに伴う人間的な叡知を社会に還元できてはじめて価値をもち、評価されるに値するものです。

揺らぎない価値をつかむために

ここまで私たちと哲学のかかわりを「命と人間の特徴」から考えてきました。人間らしく生きるために必要な二つ目の哲学的視座は、最も大切な命に、そして私たちの本質にあるというものです。この視座の根底には、私たちが共有すべき価値をもたずに、ただ個人的な価値観をもつだけで「果たして人間らしくなれるのか」、あるいは生きる上で「本当に必要な価値を手に入れられるのか」という、私たちのあり方への問いがあります。

知能と知性、心と精神、想像力と創造力は、哲学により鍛えられます。そして哲学で見出した価値を道徳として実践することにより、私たちは哲学をより具現化、簡単に言えば、現実にできます。もし哲学を鍛え上げ、実践できなければ、哲学自体はその視座を個人的な枠組みに明け渡すことになります。個人ということを「私益」と言いかえれば、私益だけにその根拠をもつ理念は、理念自体を損得勘定の道具へと貶め、価値を個々の損得といった基準の中で正当化します。そうすることによって私たちが人間的に成長することはありません。なぜならば、その目的が個々の想いや欲望を満たすことだからです。私たちは社会における自らの立場に対する解釈を誤ると、価値をはき違え、他への思いやりや配慮が希薄になります。それは「善く生きる」という哲学と道徳の出発点そのものにも矛盾します。そして、人格や社会の質にかかわる道徳自体は、その存在意義を失います。豊かな社会の実現に近接する道徳がそのような状態だと、人間であることや社会は単なる名ばかりになります。哲学は道徳をしっかりと形づくるために必要で、道徳もまた哲学により支えられています。

そもそも社会で共に生きている視座の欠如により、私たちはいまや道徳や倫理を個人規模で判断しています。特に、実際の行動にかかわる道徳には非常に深い洞察が必要とされ、自己だけではなく、他への想いや配慮をより含み、哲学よりもその影響が広範囲にわたります。哲学と道徳は単に時代時代の思想ではありません。現在、哲学と道徳が揺らいでいるように見えるのは、**それらが対応する社会問題の移り変わりが激しく、私たちが価値とするものが容易に変化するから**です[24]。この価値の揺らぎは哲学と道徳そのものや、私たちが人間であること、人間性とされる価値が変化したからではありません。事実、「人間とはなにか」や「善いこととはなにか」といった哲学的・道徳的な問いは、哲学が誕生して以来、二千七百年もの間、変わらず問われ続けています。

ある価値が人や社会の根幹にかかわり、哲学の実践という道徳に結びつく時、哲学自体を自己都合や個人の枠組みにあてはめることはできません。そもそもそんなことはできません。一見、個人で決定できることは自由や意志と深く結びつき、人間にとって大きな価値をもたらすと考えられがちです。しかし、自由や意志に普遍的な視点が欠けると、自分自身の枠組み以外の多くの価値を傷つけることは、現実の社会で私たちが経験している通りです。私たちにとってすべての善さの問題は、「人格」といった人間的に最も大切な問題にかかわります。**人間的なあたたかさや優しさ、誠実さが感じられるかどうかの問題**なのです。

疎外感や不安感、虚構や現実味のない感覚をぬぐいきれない現代社会に生きる私たちにとって最も重要なのは、**哲学と道徳によって「揺らぎない価値」を共有すること**です。そして、そのことにより社会における自己の存在意義を確立し、人間として自らがもつ価値を活かし、人格を高めることです。それを第一に実現するのは、私たち人間の主体的な知性である道徳です。意志と知性の点からも、私たちが人間的な善さを見出し、それを社会で実践できるのは道徳しかありません。次の第三章では、道徳について考えていきましょう。

第三章　私たちはなにを働かせるのか

三つ目の哲学：誠・善・徳

「善とは一言にていえば人格の実現である[25]」

西田幾多郎

現代に生きる私たちは、社会発展の恩恵の多くが一部の人々にわたっていることが露呈しているにもかかわらず、不平等や貧困の要因を私的なものとし、肯定してさえいます。本来、問題が社会的とされる場合、それらの要因は私たちにあります。特に不平等や貧困問題は政治的、そして人としての道徳的な問題です。しかし私たちは、それらの問題やそのような社会自体を経済的発展の結果として当然のこととし、さらに「自己責任」という私的な言葉に還元することにより正当化し、解決を怠っています[26]。

私たちは歴史上、物理的に文明が最も発達している社会に暮らしています。にもかかわらず、物理的にも、精神的にも不安な要素を抱えています。特に地球環境問題や不平等は史上かつてない規模で、その広がりは収まる様子がありません。なぜ私たちは、文明がこれほど発達しているにもかかわらず、自分自身の存在を脅かしかねないような問題を生み出し、容易に「善くない」と判断できるような問題を解決できずに、あるいは肯定してさえいるのでしょうか。特に不平等や貧困の問題は命そのものにかかわり、私たちが大切だとする数多くの価値から大きくかけ離れています。

現在、私たちが抱えている問題の多くは物理面で対処できます。私たちが知恵さえ出し合えば、技術面や経済面でこれらの問題の多くを解決できます。一般的に、問題は必要な対策が講じられなければ拡大し続けます。解決すべき問題を解決するためにはなにが必要なのでしょうか。自らの存在や人間として価値とすることを脅かすような問題に対して、知恵を出し合えない理由はなんなのでしょうか。

知恵とは「物事の道理を判断し、処理する心の働き。物事の筋道を立て、計画し、正しく処理していく能力」です。つまり解決可能な問題は、心が働く側面、精神面にあります。先にふれたように、私たちは知能をもち、知性を育むことができます。想像力や創造力を働かせることができます。私たちがこれらの心の働きや能力をもつのは、私たちが人間だからです。また私たちは、人間として生きることを意識してこそ、私たちがもつ能力を発揮でき、私たちが権利とする社会的な価値を正しく理解し、用いることができます。私たちは人間であるという自己理解の中で価値を見出し、実践していかなければなりません。私たちが心の働きである知恵を発揮できない理由は、最初の二つの哲学的視座、そして善いことを考えた上で行動すること、つまり人間らしい知性的行動を実践するという態度が不足しているからです。

私たちは現在、存続が危ぶまれるほどの社会状況に生きています。本当に大変な時代に生きています。いまを生きる私たちは、かつてよりも遙かに過去や現在、そして未来を見据えながら、社会はどうあるべきか、また私たち自身がどうあるべきかといった哲学を速やかに見出し、実践する必要があります。本書において、このような社会状況の中でその必要性を強調するのは、私たち人間が問題を解決するために、本来は深く考え、行動できるからです。**自らの心がけ次第で社会の未来を決定できる**からです。

本書において目指すのは「人間として共に生きる」という、私たちにとって自然な立場から価値を発見し、実践することです。単なる個人的な価値観や考え方ではなく、人間という枠組みから哲学と道徳を考えていく理由は、哲学が「なにが良いか悪いか」というような単なる個人的な好みや評価ではなく、見解や意見の不一致に対しても、果たしてその価値が「善いかどうか」という普遍性を示し、私たちらしい価値解釈と実践を促すと考えるからです。そして道徳の実践は、人間らしい自己実現と人格形成を可能にするからです。

では、具体的にこれまでふれてきた二つの哲学的視座に基づく道徳が、どのようなものなのか見ていきましょう。

1　道徳とはなにか

理念と実践を分離しない

私たちは哲学と同じように、道徳に対しても「なにか難しいもの」「一概に定義できないもの」「評価しにくいもの」といった印象を受けます。しかし「実践」である道徳は、哲学よりもずっと現実的なものです。

たとえば「どのような社会に生きたいか」を考える際に、哲学から導き出された解釈の実践なしに、私たちが暮らす場がどうあるべきかを本当には考えることはできません。どのような社会を築くべきかを考える時、ただ考えただけでは実際に社会を築くことはできません。また価値は単にあるだけでは、本当にその価値をもつ社会を築けません。つまり哲学は、その解釈を実践することなしには、常に価値としたことをもって社会でなにかを起こす際には不十分です。ただ考えただけでは、価値は単なる「理念」になり、私たちが哲学により苦労して導き出した解釈は理想や無意味なものになります。善いことを探すことは大切ですが、同時にそれを「行動として形にする」必要があります。理念（philosophy）と実践（practice）が分離していると、物事を達成したり、改善できません。視座や理念をもつだけではなく、価値を捉えたなら、行動として形にし、大切にすべきことを本当に大切にしなければなりません。

このように哲学は、**本質的に実践的な目的をもちます**[27]。だから哲学から導き出された価値を実践する時、行為者とそれにかかわる環境や物事の質を高める「道徳」との結びつきは欠かせません。哲学により導き出された価値は、実践という道徳によって、私たちにとってより身近になります。価値が身につけやすくなります。このことは哲学を日常に適用しやすくし、価値の共有を容易にし、社会問題を哲学と道徳によって解決する可能性を高めます。また道徳自体は単にもっていることはできません。なぜならば、道徳は**「人間性を行為に還元する」働きを担っている**からです。道徳は次のように定義されています。

道徳（moral）——人の踏み行うべき道。人間が善悪を考え、わきまえて、正しい行為をなすために、守り従わなければならない規範。事物に対する人のあるべき態度。

道徳とは簡単に言えば、物事を行う際の正しく、善い態度・行動というように「秩序」です。先にふれたように秩序とは、「大切なことを守り、大切にできる状態をつくるためのもの」です。道徳は私たち一人ひとりが自らの行動の選択を迫られる際に、具体的に「どのような価値を基準に行動すべきか」を教えてくれます。また道徳は特別な出来事に用いられるというよりも、日々のあらゆる物事、行動に対して適用されます。そして私たちが常日頃、身につけた道徳観は非常時にも大きな役割を果たします。

さらに道徳は日々の生活、つまり他とのかかわりの中で、一人ひとりの考え方や見解の違いを、いかに捉え、価値として身につけるかの目安にもなります。私たちは「道徳的なことはなにか」を考える際に、人間としての自分に向き合います。道徳は「共に生きる価値」をその根にもち、私たちが必要としているかどうかではなく、私たちに必要とされている本質的な価値です。だから**私たち人間に道徳が欠けること自体が、人間的に大きな問題**となるのです。

解釈力と実践力を鍛える

一人ひとりの行動は他者や他の生き物に影響を与えます。社会の状態は、私たちの「解釈力と実践力」にかかっています。自らの意志で価値を選択できることは重要ですが、より私たちに求められるのは、単に「選択すること」ではなく、物事の価値を「人間らしさでもって解釈した上で、実践すること」です。簡単に言えば、物事を深く考えた上で、行動として形にすることです。これは「意志」とはなにかを考える際も例外でないことは先にふれた通りです。意志は単に自分自身がしたいと思うことをすることではなく、他と共に生きる上で成り立つ価値です。道徳のためにまず必要なことも、また命と他と共に生きること、そして人間としての私たち自身をいかに解釈するかです。

人間らしさという観点から命の大切さや生きること、そしてあり方を考える時、道徳だけが共有価値を成り立たせ、実現することができます。なぜならば、道徳は正しいことや正しくないこと、善いことや善くないこと、考えること、他に思いを馳せることといった人間的な知性がその根拠にあり、他の存在を絶対とするからです。道徳は人間らしさを示し、また高めるもので、単に理性、「筋道をたてて、物事を考え、判断する能力」というだけではなく、もっと他との関係性における心の働きや思考といった、人間としての本質にかかわる知性的・特性的な価値です。

道徳がもたらすもの

道徳はそれが秩序であるように、人によって大きく異なり、それぞれの価値観に委ねられるような性質のものではありません。また一方が道徳的であり、他方が非道徳的、また、一方にあり、他方に備わっていないという類のものでもありません。道徳は人間全体として考えられる価値で、その恩恵は一部の人にもたらされるのではなく、すべての人が受けるものです。つまり道徳は、その実践により私たちの人間らしさを高め、社会をより善くします。道徳はその実践により物事や私たちそのものの価値をより善くします。その証拠に道徳は次の二つの価値を築く働きをします。

① 人格

② 社会の質

人格は単なる性格ではなく、知性面も含めた人間性、簡単に言えば「人柄」です。道徳が人柄にかかわることは、道徳が私たちの**私的側面を犠牲にするものではなく、内にある性質を、実践を通じ、より豊かにするためのもの**であることを意味しています。道徳の目的は、その実践によって育まれる一人ひとりの豊かな人格と、質の豊かな社会です。これら二つの価値は、私たちが「一人の人」としてというより、「人間として」どのように生きていきたいのか、またどのような社会を築きたいのかにかかわっています。人格、つまり道徳観の豊かさは社会の質の豊かさにつながります。私たちがあり方を考える際に、言いかえれば、人間らしく生きる上で、道徳は避けては通れないものなのです。

私たちが人生において、繰り返し哲学により解釈を導こうとする理由の一つは、私たちが人間であり、そして考えることが人間らしく自然だからです。人間らしさは、共に生きるという視座の中で、物事の本質に適った価値を解釈し続け、解釈した価値を実践する、つまり人格や社会の質を形成する道徳の実践によりつくられ、磨かれていきます。いまを生きる私たちは自らの人格を養うような生き方ができている、あるいは、人間らしい人生を送っていると言えるでしょうか。そして、**善い社会を実現するには、まず私たち自身が善くならなければならない**ことを理解しているでしょうか。

まずは本質を問う

ここで道徳のあり方を、思いやりや思考力といった側面から考えていきましょう。言うまでもなく、社会には悪い結果が起こらなかったとしても、してはならないこと、つまり道徳にそぐわないことが多く存在します。言いかえれば、人間性に反しているとされることが多くあります。人間性という本質にかかわる道徳も哲学と同じように、最初にある問いを無視しません。道徳も結果ありきではありません。私たちは哲学することにより、すでに物事の価値を解釈しています。解釈した人間的価値の実践である道徳も、行動の結果ではなく、まずはそうすることが物事の価値に合っているかどうかという本質への問いをその根にもちます。なぜならば、道徳によって高められるのは、私たちの人格で、それが社会全体の質に反映されるからです。

道徳は解釈を行動として形にする際に、「そうすることは道徳的に正しい（あるいは善い）のだろうか?」や「どうすれば道徳的に正しい（あるいは善い）のだろうか?」を考え、形にするものです。もっと言えば「そうすることは人間的に正しいのだろうか」や「人間的に善いのだろうか」です。こうしたことの一つひとつが私たちの態度や行動につながり、私たち自身と社会をつくります。にもかかわらず、私たちは行動自体の価値をその結果に向けがちで、行動の過程が不道徳であっても、その行動自体を容認しがちです。

道徳とはなにかを考える上で、その起点や過程は結果以上に重要です。想定される結果のみの正しさに頼ると、道徳にそぐわない考えや行為の過程における不正を許し、本質を無視することになります。また道徳観が欠けると、私たちの生き方に大きな影響をもたらします。なぜならば、道徳が欠けた状態では、私たちは人間として長期的・共同的な視点から価値を築けず、短絡的で一時的な視座の中で、文字通り、人生を凌(しの)いでいくことしかできないからです。出すべき確固たる結果さえも導けず、結果として「人生を味わうレベルで生きる」という本質を見失ってしまいます。

道徳を実践する一人の人間という面から考えても、物事の価値に対する視座が短期的、自分勝手でいいはずがありません。道徳は少なくとも時間軸を行動する一人の人間の命の長さに、そして空間軸を現時点で把握すべき限りの広さ、つまり「人間」という視座に合わせなければなりません。簡単に言えば、私たちはもっと考えて行動しなければなりません。人間として生きることは、一人ひとりの欲望の追求や行動の結果の善し悪しではありません。一人の人間として、命を大切にすることと共に生きること、人間らしく生きるという哲学的視座の中で考えながら、行動できることです。

私たち人間は、自分の意識による規範をもっています。自分の意識とはそれぞれの人柄、つまり人格に関係し、**人格は他の存在に対する意識と物事の価値に対する理解に表れます。**私たちにとって人格の向上は人生の目標の一つです。当然ながら、私たちは個人としての自分自身を大切にしますが、単に一人ひとりの価値観のみを頼りに本質を解釈することはできません。また社会で共に生きる時、自分自身だけを重んじることはできません。価値の視座が恣意的・傾向的になれば、その時々の都合に価値の基準を合わせることになります。結果として価値そのものが曖昧になり、それを手にした私たちをかえってバラバラにします。利己的な解釈や身勝手な価値観は、相互理解や思いやりといった価値を軽減させるだけではなく、自由や権利の価値さえ無効にします。私たちが主体性に重きを置くのなら、人間としてなにを価値として尊重するのか、言いかえれば、まずはなにが私たちに本当に合っているのかを見出し、実践していかなければなりません。史上最も物理的に発展した社会に生を授かっている私たちには、文明発展の恩恵と共に、それに見合う以上の物事の価値に対する解釈力と実践力が必要とされています。

私たちはなにかの選択や行動を起こす際に、まずは本質を捉え、それをもとに価値を選択し、行動できなければなりません。またそうするしかありません。本質の解釈は難しいですが、私たちは人間として生きる以上、哲学により本質を見出し、その価値を道徳として実践し続けなければなりません。哲学することは時間を要し、繰り返しにより解釈自体が深められるので、その起点を誤れば、それを取り戻すためにはとても時間がかかります。そして実践である道徳は現実的に物事を進めるので、一度その起点を誤れば、もっと容易には引き返せません。本質を解釈し、実践することは、まずは社会の中で人間として生きる時の役割の一つです。いまの私たちには、そのような認識が人間的な価値であることさえ共有できていません。

真実をしっかり見て、「善い真実」を積み重ねる

人間性と共に生きる場の質の形成と向上のために、可能な限り本質的な価値を高めることが、私たちが哲学と道徳をもつ意味です。**物事の本質という「共通の道理」**を考え抜いてこそ、私たちは物事を正しく用い、善くしていけます。そしてまた、私たち自身を人間としての立場から活かすことができます。哲学は知性的に物事の価値を見抜くこと、つまり人間的な真実をしっかり見るためのものです。そして哲学により見出された道徳は、より善い真実を積み重ねるためのものです。

私たちが善く生きることを考え、実践する時、自らの行動の指標として道徳を選択することも、と

ても自然なことです。なぜならば、道徳は私たち自身と社会の質を形成し、その実践により私たちは人間らしく大切なものを大切にでき、育んでいけるからです。そしてそのことにより、物事をその真価に適う形で用いることができるからです。つまり道徳を重んじることは、私たち人間が人としての道を見誤らないだけではなく、物事の存在意義に常に立ち返り、本質を大切にするためです。人間的な価値や人格にかかわる道徳は、「どう生きるか」を考える時には無視できないものです。道徳は人生をいかに生きるかという大きな問題だけではなく、日常の問題や人間関係にかかわります。**一人の人間としてのあり方でもあり、また自分の周りの人に対する態度であり、いかに周囲を善くできるかという問題**でもあります。

道徳を命の大切さや共に生きるための視座から解釈することは、私たちと社会や他の存在が決して切り離せないことと同じ理由からです。人間関係を軽視すると私たちは道徳を失い、物事の道理や筋道を見失っていきます。道徳は単に選択や規則ではありません。また単に利他的な価値ではなく、共同的・相互的な価値です。

道徳は、哲学により結びついた私たちの関係性をより強くし、より善くします。私たち人間は常日頃、無意識に「道徳においても人間であり続けようとするし、むしろ道徳においてこそ初めてほんとうに人間になろうと思っている」[28]ものです。哲学と道徳により大切とする価値を築き、共有し、守れない場合、本質的に哲学をもち、生きる上で道徳を必要とする私たちは、私たちの人間という側面を成り立たせることができません。道徳は私たちにとって、**人間性の大きな可能性**です。私たち人間は、人間として生きる上で、道徳から免れることなどできません。道徳は私たちの基礎なのです。

2 私たちが私たちに託すもの

「道徳観をもたなければならない」という考え方は、義務や制約というように否定的に捉えられがちです。当然のことながら、私たちは選択や行動に対して主体的であるべきです。この点からは、道徳観などは誰からも、なにからも押しつけられるものではなく、私たちの「自律の力」に頼るべきだと言えます。しかし道徳は、本当に私たちにとって義務的で、制約的なものなのでしょうか。また主体的であることと、道徳は相容れないのでしょうか。この節では道徳にまつわるこれら二つの問題について考えていきましょう。

「知性」を育む

まず私たちは道徳に対して窮屈さや義務感を抱きます。つまり道徳は私たちにとって、多かれ少なかれ押しつけられている感覚があるということです。果たしてこの義務の感覚は、道徳の価値を正確に表しているのでしょうか。そしていったいなぜ、私たちは道徳に対して、このような感覚を抱いてしまうのでしょうか。

私たちは道徳を「義務」として解釈することで、私たちに課せられているものと思いがちです。道徳が敬遠される理由の一つは、哲学と同じで自由に生きたいという想いを有する私たちの義務への抵抗感でしょう。道徳に対して義務感を抱くのは、道徳を単に私たちの意志や行動を律すると捉えるからです。しかし道徳は単なる理性ではなく、他を思いやることができ、互いにとって大切なものがわかるという、私たちの本質から生まれた価値です。人間の本質をもととする道徳は、私たちが他とのかかわりの中で「どのような物事に、どのような価値を認めているか」といった人間としてのあり方を示し、誰もが人生を通して自分自身の心がけ次第で育むことのできる「知性」です。

相対的な見方がもたらすもの

私たち現代人は、物事の価値や取り扱い方を相対的に捉えようとする傾向があります。このような現象は私たちが主体性を重んじるからではなく、利己的すぎるために起こっています。なぜならば、単に物事を個々に捉えることによって楽をしたり、自らの欲望を叶えたり、手にするものを増やすための権利や自由を得たいといった**利己的な動機がその根底にあるから**です。このような動機のあり方は、深く考えることや行動の責任を避けることにつながり、私たちが大切とする「主体性」といった価値からもかけ離れています。つまり、私たちが道徳に対して義務感を抱き、単に私たちを律すると感じるのは、道徳の価値を個人や自由、一人ひとりの価値観の中で解釈しようとするからです。道徳に対する義務としての感覚の強さは、**道徳を個人的な感情や価値観と比較するから**です。

このような相対的な見方は道徳だけではなく、平等や自由といった普遍的価値を、単なる個人の権利・所有物として捉えようとすることと同じです。成功したり、利潤を得たり、個人的な快や利益をより満たそうとすれば、私たちは価値を相対化せざるを得ません。私たちは所有の概念と個人的な価値を紐づけることにより、所有そのものに対する本質やその目的、あり方を曖昧にしています。このような「所有」の取り扱い方は、物・財産・権力・自由・権利といった価値を個人的に解釈することを当然のこととし、単にそれらの価値が「(自分の手の中に)ある」ことを、価値自体を「尊重する」ことよりも重視しやすくします。そうすることで「手にすること」を「分け合うこと・補い合うこと」より重んじ、そのあり方を問うことを軽んじます。

このように、価値に対して相対的になるということは、結果として、価値そのものを基準のないもの、曖昧なものにします。そのように価値を解釈すれば、確かに自分自身が所有できるものは多くなると感じられます。しかし同時に、本質やその目的、あり方を問わない所有の感覚は、あらゆる物事を「所有物」として取り扱うことを容認し、他や社会、自らをも統括できる存在として錯覚してしまうことにもつながります。私たちは共有できる価値をもったり、つながりを感じられたりするどころか、支配関係を良しとし、社会そのものが支配・権力関係の場と化し、互いに人間として善く生きることができなくなります。そのような視座の中で人格や善い社会など築けません。では、道徳の根っこはどこにあるのでしょうか。

「義務」の根っこ

これまでふれてきたように、私たちが大切とする価値の根っこには、常に他と社会の存在、「人間観」があります。たとえば他や社会のないところで、平等や自由といった価値は存在しません。私たちが大切にしているものは、他の存在との共同のもとに解釈され、築かれ、価値とされてきたものです。楽をし、物を個々に手にしたいからといって、道徳や原則、物事の価値を「それぞれの問題」に帰結させてはいけません。物事の価値を相対的に捉えてしまうと、共に生きているにもかかわらず、その視座は個人の自由でなんでもいいとなります。正しさや善さといった価値が曖昧な社会に生きることになります。私たちは普遍的価値や道徳、さまざまな原則を個人的・相対的な権利面からではなく、人間的・相互的な知性面から解釈し、それを人間観として共有しなければなりません。

私たちにとって道徳は、**人間としての自己を駆使して生きるためのもの**です。人間の本質、特に「共に生きること」をその根にもち、私たちは道徳によって人格を高めることができます。道徳は単に客観的に価値を捉えられるだけではなく、価値の視座を自ら立て、行動できること、人間的な意志を示す主体的な性質のものです。そのように価値を捉えること自体を主体的に行うことを可能にします。事実、私たち人間は経験していない事柄であっても、想像力や知識の蓄積、思いやりを通じて、互いへの理解を深めたり、当事者に寄り添うことができます。人々や出来事と自分自身を関連づけることができます。つまり、道徳は意志に反して押しつけられているものではなく、私たちの本質的な生き方を促し、人間的主体性を活かすことにつながっています。

私たちにとって意志の一つひとつを成し遂げることは、自己の存在意義や自己実現からも大切です。しかし同時に、私たち人間は共に生きるという視座の中で、大切なものを本当に大切にするために考え、意志をもち、行動していかなければなりません。道徳の実践は人間的な役割、義務です。義務とは、単にそれを果たさなければならないというよりも、それがなければ人間らしい社会を築けないというものです。言いかえれば、義務とは思いやりを基盤とする価値で、私たちに課せられているというよりも、私たちにとって非常に本質的な価値です。

道徳と他の社会秩序の違い

では次に、道徳に対して私たちが感じる制約的側面について、他の社会秩序である法律や倫理とともに考えてみましょう。

道徳とは善悪に対し「正しい行為をするために遵守すべき社会的共有価値基盤」です。そして法律とは「社会秩序を維持するために強制される規範」です。道徳と法律は意義がよく似ていて、どちらも私たちの人格とその実践に着目しています。しかし、私たちは道徳に対しては制約のイメージをより強くもち、法律の遵守には自然な感覚をもちます。それはなぜでしょうか。どちらも社会的に共有されるべき価値規範、つまり秩序です。私たちが道徳に対してそのように感じる理由は、道徳の次の二つの特徴にあります。

①　道徳は法律のように、明文化されていない
②　道徳は法律のように、たとえば行動の制限に対して物理的強制力を伴わない

社会には明文化されたルールとして法律があります。法律は遵守されることにより、社会を健全に維持し、社会発展の維持と保護、促進を期待されています。社会全体のルールとして「国家から遵守を期待され、同意しているもの」です。これらのルールは明文化され、その遵守には強制力を伴います。

たとえば交通ルールを守らなければ、重大な事故を引き起こす可能性があります。そのために私たちは交通ルールを遵守します。「社会の秩序を維持し、人間社会にとって大切なものを守り、保護する」、これが法律です。しかし、同じように社会の調和を促す秩序である道徳は明文化されていません。また強制力を伴いません。道徳は明記されていない上に、明確な罰則規定もありません。これはなぜなのでしょうか。

法律は違反によって生じる罪や受ける罰が明確です。一方、道徳は私たちにその価値の解釈と実践が託されています。私たちは道徳に対して法律のように明文化するのを好みません。明文化を好まないのは、道徳を法律のように「国家からその内容を決定されるような性質のものではない」と考えているからです。つまり道徳は、私たちの手に委ねられているのです。私たち次第ということです。だ

から道徳は法律のように、それに反したら罰せられるなどの物理的強制や罰則も伴いません。

また同じ交通違反でも、法律によればその罪は動機や引き起こされた結果によって異なります。一方、道徳は動機とともに、行為のあり方自体を問います。また法律は国や場所によって異なりますが、道徳は国籍、出生、信条などを問わず共通し得る価値です。これは先にふれたように、道徳が個人的な感情や価値観、アイデンティティの中で判断されるのではなく、人間として共通してもつべき「普遍的価値」であるとしたところです。その意味でも道徳は倫理と似ています。しかし、倫理はたとえば職業により異なり、綱領や法律として明文化されています。職業別の「倫理綱領」や「国家公務員倫理法・規定」などがそれに当たります。

なぜ似ている倫理が明文化され、道徳は明文化されていないかというと、職業などは、起こっていない出来事であっても、その視座と行為により起こり得ること・起こるべきでないことを想定するのが比較的容易だからです。そして職務により、なにを果たさなければならないかの優先事項や責任が明確だからです。一方、道徳は、起こっていない広範なすべてのことが対象になるので、明文化自体が難しいものです。道徳が明文化されていないのは、その価値がなんでもいいからではありません。また、私たちの考え方が多様だからとか、私たちが自由だからとか、道徳的な価値が個人のアイデンティティに任せられるからでもありません。道徳は単に一人ひとりが自由にできるといった類のものではありません。人間観が深くかかわる道徳は、個人の裁量や自由という枠組みの中でのみ論じられ、その解釈が定まるものではありません。

特に組織や団体、職業にかかわりの深い倫理はある程度固定化できますが、道徳は固定化するというよりも、私たちが思考と行動により、起こり得るであろうことやその影響を想定でき、物事の本質がなにかを解釈でき、人間らしい価値を実践する能力があるとされているから明文化されていません。そして罰則規定もありません。道徳は、単に私たちが自由であるとか、人間性を規定してはいけないからではなく、**私たちの人としての意識と可能性を私たち自身に託すもの**です。国家にとって尊い人ではなく、私たちにとっての人としての尊さを私たちが自らに託しているものです。人間性にその問いを求める価値で、強制力と罪の意識を私たち自身の心に問うものです。そして、それらを私たちの心の力や人間性、他との関係性において熟慮し、決定するものです。そうする中で人間性を最大限に活かし、その実践のたびに私たちそのものを善くし、結果として、人格と社会の質を高める価値なのです。

自律と人理

道徳は私たちが人間であるからこそ可能で、私たちにとって自然な価値です。「自然である」とは、その存在に合っているということです。人間特有の哲学でもって価値を解釈でき、道徳的な行動がとれることは、私たちが人間としての私たち自身を尊重しながら、考え、行動できていることを意味します。特に民主社会においては、一人ひとりが思想や価値観をもち、行動に移せることが、自由であり、私たちの自由だと考えられています。私たちが自由に振る舞えるのは、人間らしく振る舞い、自らに託す価値を理解し、守り、高められることがその前提です。それは互いにとって大切なこと、合っていること、あるいは物事の価値をわかっているということです。普遍的価値を理解していることです。その上で価値観や思想をもち、行動できることが、「自律的」とされているのです。

自律とは、私たちが「ある種の秩序を立てて行動できる」ことです。つまり自律とは、自由で他から価値観を強制されないというよりはむしろ、私たちが「主体的に私たち自身の意識と可能性に託しているもの」です。自律に任せることができるのは自由の問題ではなく、人間としての私たちの問題です。そこにあるのは、個人的な価値感覚や自由観などではなく、道徳の一般的な定義にも見られるように「人理＝人として踏むべき道」という人間観です。本質的に私たち人間の意識の中にあるとされ、いま私たちが、最も呼び起こさなければならない感覚です。

現在、私たちの数多くの振る舞いから私たちがそのような能力をもち、発揮しているかを問えば、明らかに私たちにはその能力が欠けている、あるいは育む努力を怠っていると言わざるを得ません。普遍的価値である道徳を共有できず、その態度がとれないことは、本来は人間としては存在価値にかかわるとても大きな問題です。

いまを生きる私たちは、あまりにも所有と自由のもたらす価値のみに着目し過ぎ、私たちが本来、考え、行わなければならないことをないがしろにしています。自由とは一般的に「責任をもってなにかをすることに束縛や強制がないこと」です。私たち人間にはその本性だけではなく、条件があるとされるように、自由にできるとは「したければなにをしてもいい」というものではありません。たとえば自由を用いる際、私たち人間は、そのしていい、あるいはしてはいけない部分についてわかっていなければなりません。責任、つまり自分自身と他と社会の関係性について正しく理解できていなければなりません。**自律とは私的な事柄や感情以上に、社会で共に生きることや人間であることはなにかを理解していること**で、人間的に物事を解釈し、行動できることが、自律性が重んじられる理由です。「自由で有ることは人間の一つの特性ではなく、人倫的に行為することと同じ意味[29]」です。私たちにとって、自由とはもっと深いものなのです。

さらに重要なのは、自律的に振る舞うかどうか自体が自由であるか・ないかではないことです。つまり行動を起こす際に、自律性を選択できる・できないといった選択肢などはありません。道徳的に振る舞わなくてもいいとか、人間的に振る舞わなくてもいいという選択肢などはないのです。

これまで二つの哲学的視座でふれてきたように、私たちにとって最も大きな価値は、「命と人間であること」です。道徳は大切なものに対する私たちの意志や選択を示し、他の存在への思慮と人間としての自己理解の上に成り立つ価値です。特に私たち人間は知性をもつので、自己や他の両方にとって善い行動がとれるとされています。私たち人間にとって道徳が生きる上での基礎であり、「道徳を尊重しよう」と本書で述べる理由は、簡単に言えば、「私たちにできることは、自分たちでしようという、ただそれだけのことです。

人間性は物質主義的な概念ではない

現代において、他とのつながりや関係性は私たちにとって本質的に大切ながらも、一人ひとりの価値観や自由をないがしろにすると考えられがちです。私たち現代人はコミュニケーションだけではなく、他の存在さえ、自己都合に応じて煩わしいとして敬遠し、個人主義に向き過ぎています。そしてそうすることとさえも、自由の枠組みで捉えがちです。「自分が世界の中心に見えれば、当然、自分の利益が何よりも重要に見え[30]」、さらには自分自身の「欲望が人生の基礎になれば、他人はすべて、自分の望みをかなえるための手段ということになり、何もかもが単なる道具[31]」になります。しかし、**人間や人間性は物質主義的な概念ではありません。**視座をそこに認めるということは、私たち自身を自己の内ではなく、物質的な概念の内に認めることと同じです。

それぞれの価値観に固執し、人間的な意志や物事を見つめる眼と心を養う努力を怠れば、人間的な力は高まりません。人間観を伴う原則の一つである自由も、その価値を高められません。私たちはまず、どのような力よりも、人間的な力を育まなければなりません。道徳はその際に私たちの意識と可能性にかかわり、人格を育み、社会の質を高めるものであり、私たちの自由な意志や行動を制約するのではなく、むしろ私たちの人間的な能力を最大限に引き出すためのものです。

また、特に道徳上の問題は、幸福や平和といった社会の調和や質的な発展には避けて通れません。人間性に考慮しない利己的な価値観や物理的価値を重視する社会の中では、人間的な価値の欠如が著しくなるのは想像に容易いことです。これまでふれてきたように、私たちが自らの価値観や自由に対して他の介在を否定的に捉えるのは、私たちが私たち自身を「人間として捉え切れていない」からです。

道徳は私たちが守り従う規則ではなく、私たちの人間としての自己理解の上にある主体的な価値です。人間らしさを行為という主体的・人間的価値に還元するもので、道徳は「私たちらしさ」です。また道徳を現実に還元するかどうかは、道徳が現実社会に役立たないというよりはむしろ、私たちが人間らしさを思考と行為の基礎とし、それをもって生きていきたいかどうか、私たち側の選択の問題です。道徳が社会の役に立たないというのは、社会の質をつくる私たちが、道徳を生きる際の「視座」として選択できていないからです。道徳的な生き方が現実に役に立たないのではなく、利己的に生きることを選択している私たちの問題なのです。

私たちは社会に生きる限り、一人の人間として他の存在と社会で深くつながり、一生という私たちの時間のすべてを社会で送ります。自ら社会の質そのものをつくる人間としての感覚を、哲学的視座を通じた社会づくりへの参画や意識、そして道徳の実践により培っていきます。そうして築かれる人格は一人ひとりの財産となり、また社会にとっても大きな財産となります。

では、多くの道徳的な価値の中で、いまを生きる私たちにとって、人間として生きるために最低限必要な価値はなんなのでしょうか。次の節で見ていきましょう。

3　三つの道徳的価値〜誠・善・徳

現代において、人格や質の高い社会を築くためには、その行為者として私たちは、道徳的に良しとされる数多くの価値の中から、最低限どの価値を満たさなければならないのでしょうか。この節では、いまを生きる私たちが特に意識しなければならない道徳を、私たちの特徴から考えてみましょう。

私たちの特徴を取り上げる理由は、私たちの特徴に不可分な道徳を考えることが最も自然だと考えられるからです。魚にとって水の中にいることがその本質であり、自らを水から引き離せないように[32]、私たち人間もその特徴と私たちを切り離して考えることはできません。また私たちの誰もが、私たちが人間としてもつ能力を主体的に活かせること、つまり自らの心がけ次第で道徳的になれる可能性があるからです。

自分自身の純粋性を手に、物事について考える

私たち人間は自らの能力を複合的に応用できます。たとえば、道具をつくる力は労働や生活の利便性を高め、より工夫して生きることを可能にします。またたとえば、ただ思っていることを伝えるだ

けでは相手を思いやることにはなりません。伝える時にどのように伝えればいいのか、いつ伝えればいいのかといったように、私たちが働かせるのが思いやりや知性です。私たち人間は正邪の判断ができるだけではなく、物事に対して、その本質に適った価値がなにかを解釈でき、行動に移せます。しかし現在、私たちはその特徴を応用する際に、必ずしも相手のことを考慮するわけではなく、時間や損得といった合理性や効率性を価値の基準にしがちです。現代に生きる私たちは、他のことを考え抜く態度、行動、心を鍛える努力を怠り、最初に考えなければならない人間としての価値の部分でつまずき、日常的に人間的な側面に欠けがちです。

私たち人間の特徴を振り返ってみましょう。言語やさまざまなコミュニケーション能力をもつ以外に、「考えることができること」「他を思いやることができること、つまり知性をもち、表現でき、行動できること」です。そして「自己を高められる努力ができ、精神面から成長できること」です。

私たちは個人の自由といった側面から「意志」を重視しますが、私たちにとって大切なのは、この意志の素（もと）、「考える」ことです。意志には「考える」という種があります。つまり、意志を叶えたり、特徴を発揮するためにまず必要なのは「考える」ことです。考えるとは、単に好きなこと・したいことを求めるのではなく、物事の価値・本質を知ることです。つまり、個人的な立場ではなく、人間的な立場から物事の価値を考えられることです。物事の価値を知るためには深く考えなければなりません。

「深く考える」とは物事を解釈することで、私たちに特徴的なものです。これまでふれてきたように、物事の価値を解釈する際に必要なのは、自らの本質、つまり人間である自分自身に立ち返ることです。なぜならば、人間であることの認識なしに、本質的な価値など解釈できないからです。また、文字通り多くの物事があふれる現代社会において、数多くの価値の本質を解釈するためには、まず私たち自身が本質について知り、それを身につけておかなければならないからです。

私たちが自らの本質に対して理解がなく、物事に向き合うための自然な心や態度がなければ、多くの物事から本質や本当に価値とすることを見出すことはできません。もっと言えば、物事の本質を見出す時には、自らの本質に対する理解、物事の純粋性と向き合えるだけの純粋な心や素直な姿勢が備わっていなければなりません。人間的に考えるとは、本質、つまり**自分自身の純粋性を手に、人間としての物事について考えること**です。私たちの特徴である「深く考える」ためにまず必要なことは、**人間としての自分をごまかさないこと**です。簡単に言えば、人間としての誠実な心と姿勢をもつことです。人として誠実であることは、私たちを人間的な価値や物事の本質に近づける第一歩です。

これを道徳に当てはめると「誠」にあたります。誠とは「人として正しくあるということ、人間性にもとづいた認識ができる心をもつこと」です[33]。本質に対する心のあり方で、物事の本質に向き合う時の心構えです。私たちは人間としての誠実さがないと、人間らしさでもって物事を解釈できません。いま人間としての自己認識に欠ける私たちは、本質に適った価値を見出せず、起こすべき行動を起こせず、たとえ起こしたとしても行動そのものを誤っています。このような私たちにとってまず必要なことは、人間としての自分自身をごまかさず、直視し、その心と態度でもって他者や物事に向き合うことです。人としての純粋な心、素直さや誠実な心に価値を置くことです。それが「誠」です。

誠（honesty）――人間性に基づいた認識ができる心や態度をもつこと。人としての自分をごまかさないこと、人としての誠実さ。物事の本質に向き合う時の心構え。

このことは、私たちが「人間として生まれてきた自分自身を大切にしているかどうか」でもあります。つまり、どういったことが「誠」なのかを考える際の視座も、命や共に生きることの大切さ、そして人間としての自己認識です。たとえ自分自身に不都合だとしても、私たちは本質的な価値や真実に対して忠実に向き合い、これらの価値を行動の視座に添えなければなりません。誠実な心は自分次第で周囲に行き渡り、周りの人との関係を通して養われていき、物事の善い面を見つけたり、大切なことがなにかを知るために不可欠な要素です。

思考と行動の道徳的裏づけ

次に「思いやりをもち、行動できること」とは、私たち自身を単に個人としてではなく、人間としての自己に添えることです。これまでふれてきたように、私たちの考えと行動は共に生きるという視座、人間として生きるという自覚なしには善くなりません。私たちが他のことを考え、行動する際には、互恵性や普遍的価値の共有といった「道徳的な根本」、つまり、道徳的な裏づけが必要です。道徳的な裏づけとは、その考えや行動全体が道徳に適っているかどうかで、人間としての立場から善いかどうかです。これは道徳の中では「善」とされる価値です。

「善」とは道徳の根本です。なにか善いことをするとか、善い人間になろうとする根拠は他の存在です。つまり私たち人間にとっては、私たちが私たちであるために必要な本質的な価値のことでもあります。善について理解し、知っていることは、人間として生きる時の基本原理と言えます。

たとえば、「思いやり」という本質を用いて「誰かを助ける」ことは「善行」とされる道徳的行為で、この場合、思いやりや人助けが「善」です。「善」は、ただ私たちが人であるとか、ただ単に行うべきこと、していいか・悪いかを示すといった類のものではなく、私たちの本質的価値を思考や行為につなぎ合わせ、本質そのものをより高める働きをします。「人間となるためのもの」「私たちが人としてできること[34]」、それが「善」です。

善（goodness）——道徳を裏づける、道徳の根本で本質的な価値のこと。本質をつなぎ、本質的価値をより高めるもの。人としてできること。

人格を磨く

そして最後の「自己を高められる努力ができ、精神面から成長する」とは、私たちが人間として価値と考えたことを行動として繰り返すことにより、人間的に成長することです。たとえば、善行を繰り返せば、私たちの人格は高まります。私たちの内で育てられた人格は「その人」として態度や行動に見ることができます。その時、その人として現れる道徳的な価値は、人としての「徳」です。徳とは「善をより理解させてくれる性向・傾向のようなもの」で[35]、人間性を高めるために思考や努力を積み重ねた結果生じる、あるべき姿・理想の姿のことです。

それは「徳を積む」という言葉に代表されるように、道徳的な心・行動と人格の高さのことです。善の繰り返しが徳になり、またその徳が善を深めます。特に徳は、私たち人間に用いられる道徳的価値です。

徳（virtue）——人間性を高めるために思考や努力を積み重ねた結果生じる、あるべき姿・理想の姿。行為者がもつ人格にまつわる精神的価値・高い人格。善をより理解させてくれる性質のもの。

道徳は共に生きるという視座、人間として生きるという自覚なしには成り立ちません。そして私たちは、人間としてのあり方を考える際に、必要な道徳を選択できなければ、世の中にあふれている出来事や物事から本物や本当に大切なことを見抜くことはできません。私たちはこの誠、善、徳という三つの道徳的価値を知り、これらを日常的に養う行動をとらなければなりません。なぜならば、道徳は日常のものだからです。哲学が命や人間への理解に貢献してはじめて価値あるものとなるように、道徳も私たちが実践できてはじめて、真に価値あるものとなります。哲学は単に言葉や価値の羅列ではありません。そして、道徳も私たちが共に生きる時の理想ではなく、社会と私たち人間の質に結びつく非常に現実的な価値です。この三つの道徳は、先の二つの哲学的視座のもとに、私たちが人間として誠実であるかどうか、本質を活かした、あるいは育むようなあり方ができているかどうか、そしてそれらに紐づく考え方や行動が人格を育んでいるかどうかを絶えず私たちに示す基礎的な道徳です。ここで三つ目の哲学的視座の登場です。

モラルコンパス 3 「誠実な態度で物事の本質について考え、本質的な価値を高め、人格を養う、三つの道徳が、誠、善、徳」

私たちは道徳以上の普遍的価値をもちません。道徳は人類共通の価値です。私たちは共に支え合い生きていて、私たちを取り巻く道徳性は、私たちがいかに命や他の存在を大切にし、自己を人間として認識しているかによります。私たちにとって道徳とは、私たちの主体性を奪い、制約するものなどではなく、人間であることの基礎、ただそれだけのものです。

4　美徳とは

長らくの間、価値基準の一つであった資本主義は、近年その価値が揺らいでいます。「資本主義の美徳が崩れている」といった議論もあります。「美徳」とはいったいなんなのでしょうか。この節では、道徳的価値の一つである美徳について、資本主義を例に考えてみましょう。

「美徳がある」とは

資本主義の第一の目的は資本の増大で、その第一の手段は、物事や私たちの労働を合理性や効率性、つまり短期的な視野で測ることです。資本主義が美徳とするこれらの価値は、哲学や道徳とは相容れません。なぜならば、哲学と道徳は社会の質だけではなく、人格の向上を目的とし、人生をかけるほどの長期的な時間を必要とするからです。また資本主義のような私たちの欲望に訴えるものと、精神的価値に訴える哲学と道徳はそもそも合いません。確かに欲望と人格は調和しません。「資本主義の美徳が崩れている」とされるのは、資本主義が元々、私たちの自然な姿と合わなかったからです。

一般的に美徳とは、「美しい徳。立派な徳。道徳の基準に合った性質や行為」とされています。徳と美徳は同じ意味合いで用いられますが（英語においては徳と美徳の区別はありません。どちらもvirtue）、特に徳は人間の性質や行為に用いられる価値です。そして、美徳は人間の卓越した性質や行為以外に、この節で「資本主義の美徳」と表現するように、物事の性質やそれがもたらす効果や評価などに対する価値にも用いられます。

たとえば、私たち人間の美徳とは、人格の形成過程というよりも、正義や勇気、慎重や信頼など、人格の形成にかかわるであろう能力や行為の価値そのものを意味します。そして物事の美徳とは、その対象の本質を活かしたり、その物事にかかわる行為者が結果として本質を育めなければ、「美徳がある」とはされません。

美徳（virtue）——それにかかわるものが取り扱いや過程において本質を高められること、理想・美しいとされる姿に近づけること。私たち人間なら、美徳は人格的価値や態度、行為そのもののこと。

資本主義は私たちを美徳から引き離す

資本主義の弱点は、物理的価値を重視し、資本そのものや資本に伴う所有物の増大を目指すことです。本来「美徳」とは、その制度やしくみに含まれている存在を本質に近づけ、本質を高めるものです。思考や振る舞いによって人間になること、そして人間として成長することは、私たちに課せられている役割の一つです。私たちに課せられているということは、その理想の姿を自らの意識で成り立たせていかなければならず、また成り立たせていけるものです。

資本主義の美徳が崩れるのは、資本主義が重視する物理的価値の増大やそのための効率性が、私たちを人間らしさから引き離すからです。そもそも合理性や効率性、利便性や機能などという言葉は、人間に用いるものではありません。私たちの価値は効率や機能で測ることはできません。実際に資本主義の手段や目的が分断や不平等を引き起こしたり、思いやりを失わせたり、人間を搾取する側とされる側に分けたりと、人間的な価値を損ねています。私たちの本質的な価値、共に生きるという価値を軽視しています。資本主義による自然破壊や地球温暖化、他の命を軽視する人間中心主義や信頼感と優しさが喪失したいまの社会が、理想の社会でないばかりか、私たちを非人間的にしています。しかし、資本そのものがなにも悪いわけではありません。経済や資本に対する私たちの解釈やそれを用いる際の視座が誤っているだけです。社会制度やしくみそのものが悪いというよりも、その担い手(bearer)である私たち人間が、哲学と道徳、つまり人間として生きる上での価値、もっと言えば、理念や美徳を共有できていないからです。そのために**資本を用いた「善いモデルの選択」ができていない**だけです。

現代的美徳の過ち

私たち現代人は人間らしさを利害や目に見えるような利益の犠牲にしています。目に見えるもの、手に取れるものはわかりやすく、形があるがゆえに信じやすく、魅力的に映ります。見えるがために信じられると感じられます。また、私たちは短絡的な視点や利己的な利益を優先しやすく、質をはねのけて量に向かいやすい傾向があります。なぜ質を軽視するかというと、それは端的に言えば、他者よりも自己を重んじ、深く考えることを避けているからです。そして、自分自身の人間としての能力や可能性を信じたり、受け入れたり、育んだりする努力を怠っているからです。もっと言えば、**人間としての私たち自身に敬意を払っていない**からです。質を軽視すれば、結果として本質を見誤り、自らの純粋性を失い、物事の価値を低下させます。深く考えたり、思いやったりといった人間的な価値を大きく損ない、私たちを人間らしさから引き離してしまいます。

この点で私たちに問われていることは、「人間らしく生きるためには質よりも量」、そのような視座を理想とする人間でいいのかということです。自分自身をなによりも優先することや、単独な個人として自分自身を捉えること、そのような価値観が私たちを本当に人間らしくするのかということです。答えを言えば、それは私たちを人間らしくしません。美徳という道徳観に欠けた社会では、本質的に必要な価値を質の面から捉えられず、価値の質的側面が曖昧にされ、ないがしろにされます。

道徳は人間らしさと社会の質を育みます。信頼感に欠け、個人的な価値のみに固執するような人間社会は、私たちを質的に豊かにしません。現代に生きる私たちが目指すべき社会の姿は、人間として生きること、つまり本来性を取り戻すといった、人間が人間らしく生きることができる社会です。私たちが私たちらしさを失う時、知性や精神といった人間としてもっている最も大切なもの、純粋性を失います。私たちはいまこそ、私たち自身を捉え直し、なにが人間らしさに適うのかを自分たちの力、つまり哲学と道徳で見出し、人間に近づくべきです。

私たち人間は物事の本質を見極め、その価値をより高められる行動がとれます。そうしてはじめて私たちは、人間として精神的にも、そして物理的にも豊かになれます。質の面から物事の価値を解釈し、そこから量をどうするか考えるべきです。それからでも私たちが物理的に豊かになることを目指すのは遅すぎることはありません。社会も、経済も、人間らしさに適う美徳という価値をまず設定し、それを目指せるモデルやしくみを考えてから、その量を増やし始めても、遅すぎることなどないのです。

これからどのような「道」を辿っていくべきなのか

人生設計と社会設計のための価値解釈である哲学は、私たちの過去への理解と、現在と未来のあり方そのものに影響を与えます。その視座を、まずは質に置くのか、量に置くのかは私たちの人生のあり方に大きく影響し、私たちの人としての器や価値をつくっていきます。見えない存在であった哲学が姿を現す瞬間です。そして道徳はその価値を実践することによって、より現実の中で姿を露わにします。哲学的思考というものは自己の内的行為でありながら、自己の外にもその対象を必要とし、本来は自己の内に留めておけないものです。なぜならば、哲学が価値の普遍性を求めるとともに、私たちが社会や他の存在と共に生きるという現実の中で、社会運営や人間らしさ、本質に結びつくような価値や秩序の実践、つまり道徳との結びつきを必要とするからです。そして道徳的価値というものが他や社会を通じて、常に承認されるべき性質をもっているからです。人間は「道徳が退廃してくると、自分が信じることをすべて言おうとする人はほとんどいなくなるし、それればかりか、多くの人は自分が何を信じているか自分でも分からなくなる」[36]ように、私たちは他と共に生きることを軸に物事を考え、行動しなければ、本来なら理解できることを理解できなくなります。虚構を価値の中心として生きることを余儀なくされます。

「虚構の中に生きる」とはなにを意味するのでしょうか。虚構は私たちの私利私欲を加速させ、精神的支柱を失わせ、私たちの存在価値や存在感覚を失わせます。なぜならば虚構そのものが「どんな甚しい罪悪や卑劣でも弁解し言いのがれできる」[37]状況をつくるからです。真実を軽視し、私利私欲を重んじ過ぎれば、社会的事実には目を背けることになります。価値について深く考えることも、また価値を共有することも必要とせず、単に自分自身を「一人の個人に過ぎない」という認識しかもてなくなります。社会に暮らしながら、自らをその担い手にできず、単なる傍観者として認識することになります。本質的な支柱を見失った私たちは、ふと気づいた時には、単にそのしくみの中に取り込まれた存在と化しています。

現在の美徳なき政治や経済を眺めると、その中に漂っている非民主的な傾向や偽善的な振る舞い、虚構の価値の増大は、明らかに人間性の堕落だけではなく、すべての非人間的な要素が可能な道を辿る布石に映ります。私たち人間は**考えることにより、私たちの中に本質的な支柱を立てていきます。**

そして行動により、その道徳的支柱を強固にします。道徳はどう生きるかという哲学的な問いを内と外から支えるものです。私たちは「人間として生きる」という視座から、常に哲学と道徳により、私たちにとって最も自然な美徳を見出し、社会運営の中で活かしていかなければなりません。

私たち人間には哲学的に考え、道徳的に生きるという本質があります。哲学で価値を解釈し、価値としたことを一つひとつ道徳として実践することにより、私たちにとっての支柱、つまり人格を築いていきます。私たちにとって「人格」とは、私たちにどう生きるかを示す「道標」であり、また一人ひとりがどう生きてきたかを表す「標し」でもあります。このことは哲学、道徳、そして人格の語源にも見ることができます。

「哲学」の語源は「philosophia ＝知を愛すること」（ギリシア語）です。「道徳」の語源は「mos 習慣・態度・性質」（ラテン語）です。私たち人間は心や精神を大切にし、考えるという本質により知を愛します。そして知を繰り返す結果、習慣や態度といったあり方を身につけ「人格」を築いていきます。人格の語源は「kharaktēr 魂に刻まれる印」[38][39]（ギリシア語）です。人格は考え・行動し続けることにより得られ、強められる後天的な性質で、人生を通じて私たち次第で鍛え、養うことができるものです。人格はそうして私たち自身に永遠に残っていく印です。[40] 人格は他とのかかわりの中で築かれ、私たちの手の中ではなく、私たち自身や誰かの心の中に残るものです。その印はたとえ死を迎えたとしても、永遠にどこかに刻まれています。もし私たちが人としてのあり方を誤れば、私たちは消えることのない印を永遠にどこかに刻むことになります。

私たちは誰一人として哲学的問いに向き合わない人生を送ることはありません。また道徳的に生きるか・生きないかの選択もありません。誰もが例外なく一人の人間であり、哲学と道徳をもって生きています。私たちは人間として価値とすることを追い求め、人格の育成に屈せず、哲学と道徳を基礎に生きていかなければなりません。私たちにとって自分自身の善さや人格は、**いかに「自分のことを道徳的に信頼できるか」**という問題でもあります。[41] このことは公正や平等、自由といった原則についても同じです。次の第四章では、三つの原則、公正、平等、自由について考えていきましょう。

第四章　私たちはなにに価値を求めるのか

四つ目の哲学：公正、平等、そして真の自由

「もしも自由が不平等や、貧困や、シニシズム（没理想）へとつながっていくのなら、圧政に対する自由の勝利の名の下にそうした欠点を隠すよりは、それをはっきり口に出すべきである[42]」

トニー・ジャット

私たちは道徳以外にも公正、平等、自由など、さまざまな価値をもちます。これらの価値は人間らしく生きるための「原則」とされ、特に民主社会共通の価値です。原則は道徳同様、人間らしさを視座に解釈され、取り扱われなければなりません。ただ原則は道徳よりも実際になにか手に入れること、つまり生活面や物理面にかかわりが深いので、見えるもの・手にできるものの価値を重視しやすい私たち現代人は、原則のもつ「所有」できる側面を重んじ、その取り扱い方を曖昧にしがちです。

私がアメリカの大学の講義で学んだ二年間で、最も考え方を変えたのは、公正、平等、自由の三つの原則に対する解釈です。端的に言えば、これらの価値に対する「序列」です。もちろん原則の価値

自体に優劣はありません。どの原則も私たちが人間らしく生きるために欠かせない価値です。アメリカの大学で学ぶ以前、私は社会的責任を根拠に、自由にはある種の制限が設けられるべきだと考えていました。しかし社会的責任だけでは、個々による責任感や倫理観の強さに行使の度合いが大きく左右され、自由の本質を曖昧にします。また自由の制約の問題は道徳的な問題にもかかわらず、自由自体が権力的不自由からの脱却により生まれた歴史的価値であるため、自由に対する制約は負のイメージを連想させます。しかしたとえば、アメリカの大学で頻繁に議論されるリバタリアン的自由や新自由主義は、個人の権利の名のもとに、これらの普遍的価値だけではなく、道徳を崩壊させます。このように私は原則に対して明確な視座を見つけられずにいました。

一方、いまの時代に生きる私たちは、過去よりも主体的に価値観を選択できる可能性をもち、過去よりもずっと多くの国で、そこに暮らす人たちが、自らを人生と社会活動の担い手であると認識しています。だから私は、単に一人ひとりの責任感に原則の解釈や実践を委ねるのではなく、共に社会を築く担い手としての感覚により、大切な価値を知り、大切にできるための視座を見つけられるはずだと考えていました。

人類は歴史の中で多くの価値を築いてきました。特にこの三つの原則をこの章で考えていく理由は、第一に、私たちのすべてが手にできるはずのこれらの価値が、すべての人に行き渡っていないのではないかという疑問からです。価値に紐づく権利の付与に対して、私たちが否定しているはずの不公正や不平等、不自由が起こっているのではないか、ということです。そして自由を重視するあまり、他の価値が軽視されているのではないかという疑念があるからです。さらに言えば、自由に紐づく社会課題が、自由そのものの問題ではないと確信しているからです。そして第二には、原則にまつわる解釈と実践の誤りが、人種差別や権力による言論の自由への圧力などを引き起こし、人間としては命にかかわる問題を、現代においてでさえ目の当たりにするからです。

これらの原則は言うまでもなく、価値としてはどれも大切なものです。そしてその逆の立場、不公正、不平等、不自由を否定しています。問題の要因は、私たちが原則を取り扱う際に、価値を個人的に解釈し、解釈のための視座を曖昧にしていることです。物理的価値に重きを置きがちな私たちが、物を手に入れる側面を重視し、価値の本質を軽視しているのです。

これまでふれてきたように、私たち人間は価値の権利的側面に重きを置くと、非常に利己的になります。だから個人の自由や個人主義が過剰にまで浸透している現代では、不公正、不平等が、そして実際には多くの人にとって不自由という問題が起こるのです。だからこそ、原則の価値について改めて考えてみることは、なにが私たちらしさなのかを明確にする上で、また人間らしいあり方とはなにかを考える上でも非常に重要です。私たちが人間として生きる上で本当に大切にしたいもの、それはなんなのでしょうか。実際に公正、平等、自由をどう解釈すれば、私たちは原則により人間らしさを高められ、社会の不公正や不平等感が解消され、自由を真に謳歌できるのでしょうか。第四章では、人間らしさといった視点から、公正、平等、そして自由について考えていきたいと思います。

1　原則の真価

量よりも質を重視する

私たちの中に公正や平等といった価値を否定する人はいないでしょう。そして自由も、です。にもかかわらず、社会にある問題の多くは不公正、不平等、不自由をその根にもちます。それはなぜなのでしょうか。先にふれたように、以前、私は特に自由の根拠を社会的責任に置いていました。しかし自由の視座を社会的責任に委ねると、その行使は一人ひとりの責任感に偏ります。さらには「それぞれの価値観」の中で解釈する態度が好まれ、結果としてどんな視座でも良いとされがちになります。

これまでふれてきたように、共に生きる時、私たちは基礎的な視座を価値として共有しておく必要があります。私たちはまず原則がなんのためにあるのかといった、原則の意義、哲学を重んじ、それをどう扱うかといった道徳をもたなければなりません。原則がいったい「私たちにとってのなにを高めるのか」という本質を明確にしておかなければなりません。原則は生活など直接的な所有や命にかかわる可能性が高く、普遍的な視座が共有されなければ、単に名ばかり、理想になってしまいます。特に原則などの価値は都合よく理想化されやすいものです。

また原則は私たちがより人間らしく生きるために一つひとつ発展させてきた価値で、相互に秩序や目的を同じとし、原則それぞれが独立して存在するとは考えられません。原則は相互に価値を高め合うことにより、それ本来の価値をさらに発揮する性質をもち、一つの原則だけが価値として突出するものでもありません。原則はその実践に際し、価値を補完し合うことにより、社会の中で誰もがそれらの価値を手にできなければなりません。

にもかかわらず、私たちはすぐにそこから得られる物理的な利益を換算しようとします。実際に、私たちは原則の中で個々の所有にかかわりやすい自由を、単なる個人的な所有のための権利と化しています。つまり、私たちが現代において自由を重視するのは、原則の中で自由が他の価値よりも、個人的な利益を得られると考えているからです。そしてその善し悪しにかかわらず、そのような自由を望んでいるからです。

特に多くのものが文字通りあふれる先進国に生きる私たちは、物理的な価値を優先させることで、哲学や道徳を軽視しがちになり、物の所有をより求める傾向があります。そして、原則の所有できる面を強調しがちになり、その価値を利己的に、自らの欲望を視座に捉えてしまいがちです。普遍的な価値を単に個人的な所有にかかわる権利として捉えてしまうと、その価値自体が、そして同時に、それに紐づく他の価値も歪められてしまいます。原則がもたらす価値はあくまでも、精神的・物理的、その両方です。また原則は私たちすべてにかかわるという点でも、その価値がすべての人に行き渡らなければならず、その視座を個人の権利や所有物の範疇（はんちゅう）に立てることはできません。

事実、資本主義社会では、他の原則を前に自由が大きく尊重されています。しかし私たちにとって最も大切なものは命で、本来、最も大切なものが価値の最初の視座になります。制度やしくみの中で最も大切な命や人間であることを大切にできなければ、その他の価値が制度やしくみの中で大切にされることはありません。私たちは原則に対して、道徳など他の価値と同様、まず命を大切にすること、そして共に生きる視座を共有しなければなりません。私たちはそうできなければなりません。命がなければ、そして人間でなければ、なにも実現できません。精神的価値が共有されず、物理的価値が重視されると、物理的な価値さえすべての人に行き渡らないことは、現在私たちが目にしている通りです。

自由に限らず、私たちが人間として生きるために築いてきた公正、平等などの価値は人間性を維持し、そのために必要としたより多くの他の価値を高めるものです。個人的な「利」ではなく、まずは人間としての「理」を叶える、つまり本質を高めるための価値です。本質を重視しても物理的な価値は軽視されません。なぜならば、本質は善さにかかわり、それは物理的価値に対するあり方やその適正（な量）についても、人間らしさによる解釈を可能にするからです。ただ単にまずは量よりも質、それを重視するだけのことです。

個人的価値観だけでは、価値を維持できない

私たちが利己的な利益を追求していいという議論の中で、「人間には欲がある」としばしば語られます。しかし仮に、欲望や本性を自由の根拠とするのなら私たちは、私たちが本性をもつとしている

他の生き物となんら変わりありません。そして、他の生き物が自然の摂理に忠実に生きているとすれば、私たち人間は社会の中でいったいなんなのかということになります。

もし原則が物理的な価値をもたらすとすれば、まずすべての命に対して、価値が行き渡るような解釈を見出さなければなりません。それがもたらす価値は決して、第一に誰かがなにか特別なものをもったり、贅沢できたりという類のものではありません。まして、ある人が命の危機にあるほどの生活状態である時に、他方の贅沢を容認するものではありません。ある人がそのような状態である時、他方が価値の付与に対して優遇されるなら、それは価値のあり方として誤っています。明らかに人間としても善くありません。原則がもたらす価値は、個人的・利己的な解釈ではその価値を発揮できず、その結果、正しく善い価値の付与を叶えることができません。自由も含め原則というものは、私たちが人間らしさを追求する中で育んできた価値で、個人的な価値観だけでは、その価値を維持できません。

また原則は道徳と同じく、その実践により私たちと社会のつながりをより強め、深める価値です。物事の価値が命や共に生きる視座から解釈され、発揮される社会が築かれていれば、私たちは社会に生きながら、いまほど不安感を抱いたり、信頼感を失ったりしません。私たちは自由だからという理由だけで、バラバラになったりしません。原則がもたらす価値によって私たちはより深く理解し合え、より豊かな関係や生活を共に手にできます。しかし、現在では過剰な貧困が存在し、ある人たちは数時間後、数日後の命さえわからないほどの状況にあります。このような社会環境は、物理的にこれほどまでに発展している現代において、原則がもたらす本来の価値といった点からは明らかにかけ離れています。

私たちがバラバラだと、貧困だけではなく、人種差別や性差別といった平等性にかかわる問題さえ、結果として「それぞれの価値観の自由」の問題とされます。なぜならば、問題の本質や根本を解釈せずに、普遍的価値にかかわる問題を個々の問題にするからです。これまでふれてきたように、価値を個々の問題に起因させると、「考え方が違う」という論理ですべての価値が正当化されます。**個人的な価値や価値観だけが人間としての私たちを満たしたり、成したりするわけではありません。**私たち一人ひとりが「さまざまである」ことも、人間として生きるという価値のもと、まずは命と人間であることを尊重できる視座を築けてこそ成り立つものです。私たちが自由であり、自由を理解し、自由であることを望むのなら、命と人間であることを尊重することなしには自由の価値など維持できないことを、私たちは理解する必要があります。

原則や価値は単なる言葉の羅列ではありません。それらは単にあるとされるのではなく、必ずすべての人に対して真価に適う形で付与されなければなりません。原則にも、正当化の根拠に哲学と道徳から導き出された、命を大切にすることと共に生きること、人間であることへの認識、人間的な善さの実践といった視座がなければなりません。また特に現代において、個々の権利につながりやすい自由が価値として先立つと、自由により恩恵を受けやすい立場にある人の権利が、ますます拡大する恐れがあります。この種の不公正、不平等、不自由を悪化させないためにも、私たちは原則に対する解釈を明確にしなければなりません。これは所有する自由に対する否定でもなんでもありません。これは私たちが自由によって**「なにを人間として目指しているのか」**という、人間観にかかわる問題です。

リテラシーを磨き、内的道理を見抜く

これまでふれてきたように、私たちは共に生きる時、なによりもまず人間としての「理（ことわり）」、つまり価値の普遍性を想定する必要があります。この三つの原則が想定していることも、まずは「人間らしい」ことです。一人の個人の権利というよりも、一人の人間として生き、そして共に社会運営する上で大切とする価値です。このことはなにも個人や私益を軽視している訳ではありません。「人間的な面から物事の価値を解釈し、実践できることが、原則においても大切だ」と言っているだけです。私たちは物事を善さの面から価値づけできる特徴や、知能と知性をもっています。私たちは私たちがもつ哲学の力を駆使して生きていかなければなりません。哲学と道徳は私たちの物事に対するリテラシーです。リテラシーとは「適切に理解・解釈・分析すること」で、哲学においては、物事の本質を見抜き、正しさや善さを見出すことです。リテラシーはそれを実践する側に委ねられています。哲学や価値観は自分自身が考えたり、思ったり、好んだりすることを正当化するためのものではありません。

私たちは生きていく上で、賢明に社会事実を見て、善い真実を積み重ねることが大切です。そうできなければ、私たち自身で物事を判断できなくなるどころか、社会を共に築くことができません。原

則はその行使によって、道徳よりも目に見える形で手にできるものが多くなるため、よりいっそう哲学とは切り離せません。

哲学と道徳が現実的な精神的価値なら、原則はより現実的な精神的価値です。哲学や道徳と物事の道理との結びつきを私たちは比較的容易に受け入れられますが、この点で原則も正義や善に結びつく価値です。正義や善とは、他の存在を前提とした価値で、原則もその解釈と態度に対する視座を、まず「私たちの本質」に置かなければなりません。物事には本質があります。当然のことながら、自由にも本質があります。つまり価値固有の賢明さ、「内的な道理」があります。[43]私たちは本質の解釈なしに物事の価値を知ることはできません。自由の本質という道理を考え抜いてこそ、自由は自由たるものになります。また物事の「理」は、常にその価値が「良質」であることが同時に認められるものです。良質な自由を求めることができてこそ、私たちは自由を真に謳歌できます。原則の視座についてもっと理解し、人間的、つまり社会的な感覚からその価値を捉え、原則によってなにを促すべきなのかを考えていかなければなりません。原則の本質は「私たちが人間らしく生きること」にあります。私たちは大切なものを大切にするために、人間として生きる視座から、原則を価値づけなければなりません。そして原則を必要とするのなら、もっと良質な原則を求めなければなりません。

特に現代に生きる私たちは、物理的価値を重視し、物理的所有・経済的自由のための自由を必要としています。「自分にとってはお金が何より重要ですとはっきり口に出しても受け入れられる」[44]、そのような心のありようを優先する社会を築き、「謙虚を良しとする文化から、自己顕示を良しとする文化への変遷[45]」を引き起こしています。しかし、これでは自由本来の価値や個性・多様性といった価値を狭めてしまいます。また権力は過去のようになにも政治上だけで姿を現しているわけではありません。なぜ私たちは政治的な権力を否定するにもかかわらず、不平等を努力や才能の結果だと正当化したり、是正せず放置したり、経済的な権力をふるうことに対しては正当だと考える節(ふし)があるのでしょうか。それは特権的な自由の中でヒエラルキーを甘受することとなんら変わりはありません。そのような自由や権力のあり方を、また心のありようを認めてはいけません。なぜならば、認めるということは、それが善いかどうかは脇に置いておいて、正しいと見なすことだからです。そこから起こるであろうことの正当化は、なにを人間として生きる上で価値や理として認めるのかでもあるのです。

本書において原則を哲学と道徳の面から取り上げた理由は、その目的によります。原則の目的は、それがもたらす価値により私たちがより人間らしく生きることです。原則がその真価を発揮するためには、まず「もつ者・もたない者を生み出す状態」を改めなければなりません。このような状態を正当化するような権利的な解釈に、いつまでも固執してはいけません。権力からの脱却を強欲の隠れ蓑に、人間性の保護と向上を目的とする原則を物理的、経済的、政治的な解釈のものに成り下げてはいけません。明確で人間らしい視座やその目的を明示できないままでは、社会にある不公正や不平等、不自由は解決できません。では、これらの原則はまずいったいどのような価値を保護し、なにを向上させるのでしょうか。次の節では、それぞれの原則に基づく価値の付与を例に公正、平等、自由についてさらに考えていきましょう。

2 視座の再考

他者への思慮

現代に生きる私たちは、個人的になにかを手に入れる価値やその際の力関係を重んじ過ぎるため、人間として最も大切な視点に欠けています。それは物の所有やその際の力関係と切り離される立場の人たち、社会における脆弱な立場に置かれた人たちへの思慮です。私たちは個性や価値観の多様性を重んじますが、非常に多くの多様な立場の人たちがいることにはあまり注意を払いません。個性や多様性が大切だと言いつつ、他者には無関心です。

また個性や多様性とは、なにも私たちがなにかできることや長けていることだけを意味するわけではありません。そして、したいことを優先し、したくないことを認めるためのものでもありません。それらは私たち**それぞれが生まれもった、あるいは人生を送る中で置かれる多様な環境や条件のこと**でもあります。そしてその多様な環境や条件を補い合い・支え合い、認めることでもあります。共に生きる社会の中で、この瞬間、あるいは明日、いまとは全く別の環境に置かれることは、私たちの誰にでも起こり得ることです。

原則が単に権利として解釈されれば、社会の中で価値とされることをもたない人を弱い立場に、あるいはさまざまな環境や条件を抱え弱い立場にある人たちを、より弱い立場に追いやります。特に現代では、社会の中で優先される価値をより多くもつ人たちが、より多くの価値に到達していることは否定できません。言いかえれば、私たちは格差以上に特権や先取権がある支配関係の中に生きていますす。社会的に弱い立場にある人は、権利的・個人的な力学が働く自由が優先されると、人生においてなにもできないに等しい状態です。不公正や不平等が広がり、名ばかりの自由は私たちを精神的にも、物理的にも豊かにしません。これまで解釈が重要だと述べてきましたが、物事を解釈する際に大切なのは、その物事の本質的な価値について考えることと、私たちが**見落としているものに気づくこと**です。私たちが原則に求めるものは、そしてその視座はなんなのでしょうか。

原則の支柱を立てる

原則とは言うまでもなく、私たちがより人間らしく生きるために必要とした価値で、人間性を高める価値です。しかし私たちは、原則の権利的な側面を重んじがちで、原則により人格を磨き、社会を善くしようとすることはおろか、他の存在や人間としての私たちのあり方そのものを軽視していま す。一般的に私たち人間は、必要性よりも利己的な動機に基づくと悪くなりやすく、このような視座では、原則を正しく用いることはできません。では、原則は現実の生活の中でどう解釈され、実践されれば、その価値が本質に適い、誰もが人間らしく生き、人間らしさを高めることができるのでしょうか。この節では「分配」という点に着目し、簡単な例から原則の基礎について考えてみましょう。

「スポーツ観戦」[46]と「りんごの配分」

スポーツ観戦：身長が異なる三人の人がスポーツを観戦する場合

りんごの配分：必要な栄養が異なる三人の人にりんごを分ける場合（必要な栄養はA→B→Cの順とする）

考察1 公正

公正：スポーツ観戦

A　B　C

公正：りんごの配分

【結果】

条件に応じる→すべての人が試合観戦でき、同じ栄養を得る状態になる。公正とは「量」ではなく、**対象の環境や条件に応じ、状態や機会の「質」の同一を図る**こと。あるいは**物事の価値に対して質の同一を図る**こと。

考察2 数量の平等

数量の平等：スポーツ観戦

数量の平等：りんごの配分

【結果】

条件に応じず、「量」の平等に従い、物を分配する→すべての人が試合観戦できたり、栄養が満たされる状態にはならない。**価値をもたらす対象ではなく、分配するものに着目**している。

考察3　質の平等

質の平等：スポーツ観戦

質の平等：りんごの配分

【結果】

公正と同じ＝原則によってもたらされる価値に着目するのではなく、その**価値を受ける人に着目**している。すべての人が試合観戦でき、必要な栄養を得るには条件に応じる必要がある。

考察4　自由

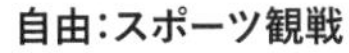

自由：スポーツ観戦

自由：りんごの配分

【結果】

観戦できるのか・できないのか、いくつずつ分けられるのか、どう分けられるのかわからない→**視座を明確にする必要がある。**

まず原則は、価値が私たちすべてに行き渡ることを前提としています。前頁の図解で示した二つの例のように、私たちは社会の中でそれぞれにさまざまな環境や条件を抱えています。原則の付与の恩恵をすべての人が受け取るためには、まず元々ある環境や条件を整えなければなりません。つまり、私たちは原則を用いる際に公正を優先するというよりも、まず「公正」により、私たちの**環境や条件の質の同一を図る必要**があります（考察1）。そうでなければ、原則の入り口で、その恩恵や目的の対象者を制限することになります。つまり、なんらかの価値を手に入れる以前に、私たちの中に原則にかかわれる人とそうでない人を生み出してしまいます。

さらにこれらの考察からわかるように、「数量」を視座とした平等性や自由観では、原則を用いて問題を解決するどころか、それ以上に不利な条件にある人や社会的に弱い立場にある人を、もっと不利にします（考察2・4）。「数量の平等」では、価値が行き渡るはずの対象が考慮されず、**単に分配されるものに着目**することになります。

本来「平等」とは、数や量といった価値以上に、**知恵を使う「質の平等」の問題**です（考察3）。たとえば、単に人種や性別といった属性を問うのではなく、人為的な差異についての平等性を問わなければなりません[47]。人種や性別にかかわる差異は、生物学的な、自然な価値です。そして人種や性別などの生まれもった特質は、どれも「同じ価値のもの」です。にもかかわらず、私たちがそれらに対して価値としての優劣をつけるため「平等」を認めることが必要になっています。等しい価値でありながら、あるいは自然な違いに対して、人為的な差異をつけること、つまり差別などは、当然のことながら非人間的です。人間とはなにかという視座の中で、私たちそれぞれに授けられている自然で多様な価値を理解すれば、差別のような非人間的な価値観など生まれません。平等は単に量が等しいといった価値だけではなく、残念ながら人為的につくられている差異を取り除く働きをします。

そして、「自由」は移動・思想・集会・信教・身体・表現の自由といったように、多くの種類を取り扱います。必要に応じてそれらの自由を用いることにより、私たちの意志や希望を叶えることができます。しかし、表現の自由であっても、なんでも言っていい自由などは存在しません。そして個々が、あるいは一部の人が手にしただけでは価値として不完全なことは言うまでもありません。まず、人間としての公正のもとにできる選択が同じでない場合や、人間として公正に取り扱われることなしに自由を用いることはできません。

また、たとえば人種や性に対する平等性が理解できなければ、人種や性について表現する時には、差別的になる可能性があります。差別を助長するようなものはそもそも表現に相当せず、表現の自由や思想の自由といった類のものではありません。特に自由を用いるにあたってはその視座について、つまり本質的な価値や自然で多様な価値についてもっと知っておかなければなりません。「なにを、なんのために、どのように分け合ったり、表現したりするか」を考えることは、私たち人間ならばできることです。

また特になにかを分配する際に自由を用いる場合には、その視座がいっそう明確でなければなりません（考察4）。分配の視座が不明確な場合、ある人は一定の、あるいは必要な価値さえ求められない可能性があります。たとえば、分配の方法がじゃんけんやくじ引きなどのある種の運によるものなのか、交渉する余地があるのか、あるいは所有する資産や分配に該当する情報をどれだけもつのか、すでに所有しているものによるのかなど、その視座が時々・それぞれによるのなら、その価値の付与は常に不安定です。また自由による分配は、社会における力関係に影響を受ける可能性が高く、分配する側や分配の判断を行う人の意図により、視座が大きく左右される可能性があります。そのような自由についての解釈では、「道徳的にきわめて恣意的な要因によって、分配の比率が不適切な影響を受ける可能性[48]」があり、それでは私たちをより豊かにするために自由を用いることができません。

自由も公正や平等などと同じように、人間らしく生きるためにある価値であり、非常に相互的かつ共同的な性質をもちます。**自由であるということだけが道徳や人間的な諸価値を判断できる要素ではなく、またそれだけで私たちが自由になれるわけではありません。**そのような自由の視座を明確にしない、「ただ自由である」というだけの自由感や個人的な価値に固着する自由観は、自由の価値を軽減させます。そのような解釈は、自由本来の価値を引き出しません。私たちが自由をこのように取り扱うのは、人間社会の利益はなにかという、私たちに合っている価値やあり方といった、本来はもっているであろう・もっているべきとされている価値を個人的に取り扱い、社会的に明確にすることを避けているからです。明確にしない理由は、はっきり言えば、明確にするとなにかしらにとって都合が悪いからです。

公正、平等、自由といった原則は、人間らしさを追求するために生まれた価値です。人間らしさを基礎に置き、その価値の性質は個人的なものではなく、人間相互のものです。だから、私たちは原則を用いる際に、まずは人間という立場から、私たちがそれぞれに抱えるさまざまな環境や条件に対して、質の同一を図り、人間として本来もたらされるべき価値がすべての人に行き渡る状態をつくらなければなりません。原則は他の存在と人間としての私たち自身を前提としています。特に、原則は価値の付与が現実の状態に影響を及ぼしやすく、生活自体にもかかわるので、なにを価値の視座に設定するかを明確にしなければなりません。

私たちは私たちの人間らしく生きたいという想いから、原則のような価値を築いてきました。原則の価値の付与により、思いやりがあり、寛容な社会を築けることは、本来は人間として誇りとなるものです。まずは原則の視座を社会にいる脆弱な立場の人の上に立てること、そうできてこそ私たちは精神的にも、物理的にも豊かになれます。そして本当の意味で、それぞれの個性や多様性を社会で広く活かすことにつなげることができます。

人間としての私たちを重んじる

人間は一人で生きていれば公正や平等、自由を必要としません。思想の自由や表現の自由も必要ありません。私たちは私たちが人間らしく生きるために必要としたこれらの原則を用いる際に、まず人間であることがどんなことなのか、共に生きることはどういうことなのかを理解する必要がありま す。自己を他や人間としての価値から切り離して考えたなら、物事のあり方を本当には見出せません。それは原則も同じです。環境や条件を考慮し、質の同一を図ることは、人間としての私たちの価値を重んじることです。それは本来、平等と自由も同じです。私たちは、原則から得るものが**私的な価値ではなく、人間的な価値であること**を理解しなければなりません。物理的価値は精神的価値よりも利益を感じやすく、私たちがとらわれやすいものです。私たち人間は欲望に弱い生き物で、価値の視座が物理的になる時、解釈と行動を誤りやすくなります。そのような傾向をもつ私たち現代人は、特に意識的に、原則の精神的側面を重んじなければなりません。そのためには、共に生きることと人間であることを視座に、原則についてもっと深く考えなければなりません。

この三つの原則に関して最も誤解されがちな点は、公正と平等は他者を介在することが明確で、自由は個人的な価値と思われがちな点です。これは**自由と欲望を混同する**ことで、「私たちができること」と「私がしたいこと」を同一視しているからです。私たちは自由を個人的な価値との兼ね合いで他の二つの原則よりも優先させ、他の命の価値や共に生きるといった価値を自由の視座に添えられていません。自由に紐づく個人的な所有の感覚は、自由の価値を大きく誤ります。たとえば、自分自身の意志でなにかを行うのは自由であるべきです。しかし私たちは、なにをしてもいい自由に対しては否定的でしょう。自由を用いる際により重要なのは、意志を制限するか・しないかではなく、意志の種、つまり「考えること」をまずどれぐらい深く行えるか、そして**どのような視座の上に自分自身の意志を立てるか**です。自由も人間であることの上に成り立つ価値で、原則を用いるに際して、普遍的な視座の共有を避けることは、あらかじめ権利や原則の恩恵を受けにくい立場にある人たちをそこにいない存在と見なすことと同じです。

現代に生きる私たちには明らかに深い考察、つまり解釈が欠けています。それは他の存在に対する思慮です。他に対して思いやりをもてないばかりか、相手の状況を考慮し、不足するものを補い合うといった互恵の精神に欠けています。物事の質的価値を問わずに、人間自体を強者と弱者や勝者と敗者に分けることを良しとしています。私たちをそのように分けて考えてしまうこと自体、非常に非人間的です。原則を用いる際に人間的な価値を活かせてもいなければ、原則を用いて人間らしさを高められてもいません。そのような社会を築きつつある私たちは、**果たすことに注目しないで、したいことに注目しがち**です。私たちはいま一度、原則の人間的な側面について考え、そこから社会を発展させる必要があります。その方が、より多くの人が原則によって幸福を享受でき、社会が幸福になるのは、言うまでもありません。

貧困や不平等、差別、地球環境問題など、さまざまな社会問題はもはや疑わしいレベルではなく、明らかに哲学と道徳といった人間性の欠如によって引き起こされています。私たちは「問題が明確に関係している」というなんらかの証明を得るまで、問題解決を先延ばしにできるぐらい悠長でいられるのでしょうか。いいえ、悠長ではいられません。むしろ、もう考えずにただ構えるだけの猶予は一刻もありません。

私たちが直視したがらない社会の中には、本当は手にできているであろう価値を手にできずに、耐え難い苦しみの中で日々を生きている人たちが多く存在します。思いやりや深い洞察が欠けているがゆえに、生存する場所を追われ、生きる道を失いつつある命が多く存在します。私たちが私たちに必要な価値を見出し、問題を解決するのは、いましかありません。私たちは原則という価値を見出したように、その価値のあり方を私たち次第でどのようにも発展させることができます。私たちが人間として生きる時、個人の自由や価値観だけに頼って解釈や解決できない物事が多くあります。それは本当に多くあるのです。共に生きることを視座に深く考えることこそ、人間的な価値をつかむ第一歩です。そして、それこそが、人間らしく自由に生きるためには、最も大切な一歩なのです。

3

三つの原則の序列~公正・平等・自由

質的な価値の重みづけ

これまでふれてきたように、原則は質的な価値の重みづけがなければ、真価を発揮できません。私たちは知能や知性を駆使し、原則をどのように取り扱うかを考える必要があります。そして私たちの生活と社会の発展に際し、必要なことはなにか、どこまでできるのか・してよいのかを哲学の中で吟味し、道徳として一つひとつ形にする中で、原則を用いていかなければなりません。この節では三つの原則の基礎に立ち返ってみましょう。まず公正、平等、自由の意味を見てみましょう。

公正（**equity**）――偏りがなく正当なこと。はっきりと正しいこと。

平等（**equality**）――差別なく、身分、性別など無関係に、等しい人格的価値を人がもっていること。すべてのものが一様で等しいこと。

自由（**freedom**）――責任をもってなにかをすることに束縛や強制などがないこと。一定の前提条件の上で成立し、絶対的な自由はない。

一五〇頁の考察1を例とすると、「公正」によれば、りんごが配られる個数が異なったとしても、すべての人の栄養を満たすことができます。価値の付与により「同じ環境や条件をもたらすこと」、つまり質の同一を図ることが、公正がもたらす価値です。**私たちの状態を請け負う、質的に同一の価値を図り、付与する、または価値の質の同一を図る・認める**、これが公正です。さまざまな命と共に生きることは単に一緒に生きるというよりも、個性や多様性を尊重しながら、互いを補完し、支え合うことです。命そのものと私たち自身を大切にすることは、平等であるか、自由であるかは関係ありません。命を大切にし、私たち自身を大切にすることは、私たちすべてにかかわり、なおかつ人間として社会で生きるために、まず不可欠なことです。公正は「個人の倫理生活の範囲を越えて全体的な倫理的世界をうちたてる[49]」概念でもあります。

そして「平等」とは、特に性や出生といった生まれもった自然な価値や、これからもつだろう人間的な価値に対する等しさ、機会や権利が私たちに等しくあることを意味します。平等がもつ最も大きな問題は、その問題の多くが「人為的」なことです。たとえば、出生や人種などは私たち自身で選択できない生まれもった価値で、それらに対する差別は「人為的な差異」です。残念ながら社会には、そのような非人間的な考え方がまだまだ多くあります。これらは特に差別的な発言や行動につながり、大きな社会問題の一つです。平等は数の上での等しさを図るだけではなく、等しい価値でありながら設けられてしまっている人為的な差異を埋め、またそこから派生する、機会や分配、権利に対する差を取り除く働きをします。平等は私たちがそれぞれもつ人間的価値に対する不当性を排除します。**自然な価値の平等性を保護し、人為的な差異を請け負う、**これが平等です。

最後に、「自由」は支配という言葉が象徴しているように、精神的・物理的な意味でなにかを強制されたり、身体を拘束されてはならず、その限りにおいて私たちは自由です。特に民主社会においては、私たちが意志や個性を実現したり、なんらかの行動を起こしたりする際に、それらの自由に対する権力による制限は禁じられていて、権力からの自由が保障されています。また意志や希望を実現する際に、自由の中のなんらかの価値を用いることができます。たとえば、どこかに行きたければ、移動の自由を根拠に移動でき、なにかを表現したければ、表現の自由を根拠に表現できます。しかし絶対的な自由はなく、場合によっては移動や表現が制限され、法律を犯せば拘束され、道徳を逸脱する自由もありません。常に権利には義務や責任が付随するように、私たちは自由の前に認めなければならない、普遍的価値が「節度」としてあり、法律があれば、それを犯してはならない「制限」があります。つまり、社会で共に生きるにあたり可能なことや正当に行使し得ること、またできないことの両方があり、またその範囲があります。その範囲は不自由ではなく自由の本質で、それが自由の限界でもあります。

原則の起点

公正や社会で共に生きる際に必要とされる平等のような価値がなければ、自由そのものも成り立ちません。たとえば、元々の状態が不利であったり、人種や国籍といった属性に優劣がつけられることにより可能なことが制限されていたりすれば、価値が低いとされた側は自由にはなれません[50]。現在のような不平等な社会状況にあっては、公正により環境や条件の質の同一を図ることはいっそう不可欠です。公正や平等が優先されることにより、自由の価値が侵されることはありません。公正と平等により、むしろ、より多くの人が、自由が差し出す価値を得られます。但し、自由を押し通そうとすると、公正や平等の優先順位は低くなり、かえって多くの人が不自由になります。つまり、真の不自由さは、公正と平等がないと増してゆくものなのです[51]。人間として自由に生きるとは、互いの立場を認めた上で考えながら行動することです。共に生きる仲間の内で、人間らしく生きるにあたってなにかに不足している人がいれば、それをまずは補い、もっている価値に差異があれば知能と知性を駆使し、それらを是正することとです。当然のことながら自由は非常に大切ですが、それは物事の始まりではありません。ここで四つ目の哲学的視座の登場です。

モラルコンパス 4 「原則の起点は公正」

私たち人間は利己的な部分だけをもって、人間として生きることはできません。それぞれの価値観があるからといっても、命ある人間としてまず互いを補い合い、尊重できるような価値をもてない限り、それぞれが生まれもつ多様な価値や意志、個性を本当の意味で活かすことはできません。公正、平等、自由を用い人間として生きることは、共に生きる時の視座の問題です。自由を個人の問題を軸に解決するだけでは、自らの本質を前になにをも価値にできません。また「人間には自由がある」ということを、自由の価値の根拠に掲げる必要はありません。自由は私たちが命ある限り、人間として生きる上で、誰にでも備わっている価値です。ただその価値を用いる際の視座と取り扱い方を明確にする必要があるだけです。

現代は、なによりも個人の権利としての自由を認めることが著しく過剰です。人間として生きることを忘れ、自由と欲望を混同し、自分自身を善くすることではなく、自分が欲することにこだわると、私たちは他のことを考えないばかりか、留まることを知らない欲望で自分自身を満たし、挙げ句の果てにはその中で溺れゆくことになります。そうすることによって、人間として善くなることは決してありません。物理的な基準はわかりやすく、受け入れられやすいものです。一方、精神的価値は考えるにも、それを叶えるにも時間を要します。しかし原則は、質的な解釈なしには本来の価値を活かすことはできません。原則のような人間らしさを高めるための価値に対して利己的になれば、私たちは自分自身を人間であることや社会から逸脱させます。

自由の価値は人間らしさに起因し、その前提として他を含み、利己的な性質とは相容れません。自由の本質も、命を大切にすることと共に生きるという視座のもとにあり、そのように人間らしく生きていけることが本来私たちにとって、自由がもたらす大きな価値で、自由の根っこです。

私たちが原則の価値を明確に「人間として」の視座で解釈し、価値を築いているのなら、不公正、不平等、不自由のような問題が生じることはありません。特に自由に関する最も大きな問題は、自由を「所有に紐づく権利的な価値」と見なすことです。この自由の権利的な取り扱い方が、私たちの自由観をより個人的なものにし、不公正や不平等感を醸成しています。権利的な価値感覚はあらかじめ価値とその対象に優劣をつけるので、本来原則に求められている価値のあり方とはその質を異にします。次の節では、現代に生きる私たちの特徴とも言える個人主義的な自由観を解消するために、権利のあり方について考えていきたいと思います。

4　「権理」とは

自由につきまとう問題

これまでふれてきたように、私たちが自由に対して権利的な側面を強調するのは、自由に「自分自身が欲するものを所有したい」と考えるからです。現代社会においては、特に個人的な価値観が重視されがちで、このことは常に自由につきまとう問題となっています。この章を通じてふれてきたように、自由を個人の権利的な側面から解釈すると問題が起こります。

言うまでもなく、なにも権利や自由自体が悪いわけではありません。この二つは人間として生きるために欠かせない価値です。私たちの価値解釈と取り扱い方が問題であることは、これまでふれてきた通りです。ただ利己的な自由観は、多くの問題を引き起こす要因になっているにもかかわらず、あまり表立って問題視されていません。それは権力からの自由という盾に身を隠してさえいます。なぜなのでしょうか。それは私たちがあまり善いとしない側面、見たくない面、人としては感心できない面、しかし、満たしたい面にかかわっているからです。私たちの欲望を露呈させるからです。

表立ってなされる正当とされる議論には、「意志」が深く関係しています。「私たち人間には、自由な意志がある」というもので、私たちの考えや行動を支える意志の存在が自由の権利面に大きく影響しています。特に原則は意志を実現する役割を担っています。この節では、この意志の観点から、権利の本来的な意味について考えていきましょう。まず、権利とは次のような意味です。

権利（right）——ある行為を行うことの正当性の根拠となる能力ならびに資格。ある物事を自分の意志によって自由に行ったり、他人に要求したりできる。

当然のことながら、権利は生まれながら誰にもあるもので、民主社会においては、社会的にすべての人にその価値の付与が認められています。権利は、明治時代に日本に入ってきた言葉です。いままでも英語で権利は「正義」（justice）と道徳的な意味をもちます。権利の概念が生まれたドイツにおいても、その意味に道徳的な「正しさ」（richtig）を含みます。権利は、単に私たちがしたいことを手に入れ、成すという個人的な「利＝利益」だけではなく、「理＝道徳的」な価値として認められるもので、**正義という価値が欠けた権利は人としての基礎を欠く**ことを示唆し、権利の本質は「正義＝道理」にあると考えられます。このことは権利が単になにか利益を得るためのものではなく、生まれながらに備わっている本質的価値や道徳的価値を含むと考える方が適切です。

また権利の語義の一つである資格とは、「身分や地位・立場。またそのために必要とされる条件。道徳的・法的にある条件のもとでできること、あるいはできないこと」を意味し、特に権利を用いる際には、その資格、「ある条件を満たしている」必要があります。また社会秩序を保護するために尊重される価値で、秩序そのものは人間相互の関係を規定する道義的な性質をもちます。これらのことから、私たちには権利があったり、権利に訴えたり、単にしていいこと・いけないことを知るだけではなく、人間として社会の中で生きるにあたり、必要なことを認識することが不可欠です。人権などの権利も私たちが人間らしく生きるため、あるいは人間であるからこそ認められている価値です。

特に権利は人間らしく生きることから、日常生活全般にまでかかわるので、人間としての自己理解のもとで用いられなければ、人間としての「理」だけではなく「利」を損なってしまう恐れがあります。権利は「正義＝人が踏み行うべき道。正しい道理」、人の道に適った社会を実現するために必要とする力や権限を含み、第一に人間として生きる私たち自身を請け、権利を用いる際には、人格の査定を受けます。つまり権利は、**人間としての立場の上に価値や分別をもち、その上で行動できること、人の道に沿って付与される価値**です。

また権利は「〈正しさ＝道理〉に基づき、あるいはそれを求めて様々な言動を、相手方や社会・国家に向けて主体的に能動的に発信する行動価値も含まれ[52]」ます。言いかえれば、人間として生まれたことや人間らしさ、人間らしい社会や人生を築くために、人間としての条件のもとにできること・認められていること、これが権利の本質です。

単に、あるいは無条件にしたいことは権利の問題ではありません。単なるわがままに権利を用いることはできません。権利は私たちが人間として生きるための価値で、人間であるからこそ付与されるものです。つまり権利は、哲学的・道徳的な価値です。だから人間としての自己認識が欠け、**人とし**

ての心得から離れると権利の濫用が起こります。権利を用いる際に「人としての心得から離れる」、言いかえれば、人間的な視座から離れると、非人間的なこと、つまり権利による不公正や不平等、不自由が起こるのです。

哲学と道徳の中で権利を磨く

一般的に意志は、「道徳的評価を行う主体。理性による思慮・選択を決心する能力。個人の行動を意識的に決定する力」です。評価・思慮・選択・行動を決定する力の種は「考えること」です。意志は単に自分がしたいこと・したくないことではなく、「考えること」の上に成り立つ人間本質のものです。「考える種」なしに、意志は成り立ちません。つまり、自由な意志や意志の自由は、単に私たちがなにかしたいことをすることではなく、「自分自身でそうできるかどうかを人間的な視座でもって考えられる上」にあります。

私たちは考えることを、自由を用いる上でも決して狭めてはいけません。自由の本質とは、単に私たちが自由であるだけではなく、それ以上のものを希求する価値で「人間として自己を理解すること」、その上で「自分自身で自分に働きかけができること」、そして「他や社会に働きかけられること」です。たとえば、なにかを主張したり、行動に起こしたりすることも、思考や意志などが整っていなければ主張や行動の部類にはなりません。主張や行動も考えた上で成り立ちます。もっと言えば、私たちは人間らしさとはなにかを深く考えた上で意志を築き、権利を主張や行動のために用いる必要があります。

また権利とは、単になにかを所有したり、実行できることではなく、たとえば、さまざまな社会権などの基本的人権のように、社会で人間として生きるにあたり、どう生きるかを示す価値です。それは人間相互のもので、他の存在との関係性に基づく価値です。たとえば、思想や表現の自由は他の存在が前提です。単なる個人の世界、日記に思いや考えを書くこととは異なり、思いや考えを発すれば、思想や表現として社会に広がります。だからなんでも言っていい自由などはありません。たとえば人種差別を擁護するような発言は、自由であるかどうかの範疇ではありません。それはまず**「人間としてそうすることがどうなのか」**といった道義的な問題で、差別や偏見などの非人間的な価値観や行為は自由とは相容れず、その価値に矛盾します。権利のあり方、つまり哲学と道徳について知り、その上で用いることができるものが、権利と呼ばれる価値です。権利のあり方について考えることは、権利を用いる際に付随する義務の一つです。義務と権利も相対するものではなく、相互のもので、簡単に言えば、どちらも互いへの思いやりで、そうすることにより、そうできることです。

原則は私たちがより人間らしく生きるためのもの、そのためにできること・認められていることで、単に自分自身だけが良くなることに利用できません。同じように、自由な意志も単なる個人が、自分自身だけが良くなることに利用すると、その価値は軽減します。これまでふれてきたように、人間らしく生きるためには、命を大切にし、共に生きる中で支え合い、本質を活かすことが必要で、これらが権利の基礎でもあります。

自分自身を単なる個人と捉えるだけでは、権利が多様性や尊厳を守るといった面からも不十分です。権利を個人的に捉えてしまうと、権利は単に自己中心的な価値に成り下がってしまいます。人間であることや人間らしく生きることと、単になにか物を所有できる価値を同時に論じてはいけません。生きることは私たちにとって究極的な問いです。人間観や生命観は、価値あるものや物事の解釈を人間らしく留めておくための大切な視座で、私たちの考えと行動の究極的な原理です。このことは権利を考える上でも例外ではありません。この意味でも、「利」は「理」よりもずっと個人的な意味を含み、過去に日本において、権利が「権理」とされていたように、人間であるからこそ自然にあるとされるさまざまな権利は、人間であること・あるための道理を含む「権理」が、その言葉の価値には合っています。

人間として生きることをより高めるために

私たち人間は「生きる権利をもっているから生きているのではなく、私が生きているから、生きるための絶対的な権利をもっています[53]」。これは本書において「人間は人生をただ生きるだけではなく、味わうことができる」と表現したところです。さらに言えば、私たちは人間として生きているからこそ、人間として生きることをより高めるためのさまざまな権利について考え、整えることができます。人としての自分がして良いこと、すべきことの権利をもっています。自分の手により人生を立てることができる権利を、私たちはより善い人生を味わうためにもっています。

現在、私たちの多くが誤った視座に基づいて自らの行動を選択しています。私たちは決定を下す際に、そこに意志があったか・なかったかよりも、「なにをもとにそう考えたか」に意志や決定が大きく左右されます。これ以上、悲劇を繰り返さないために、そして人間らしく生きるためにも、いま「なにが人間的なのか」を深く考える必要があります。そして考えた上に意志を築き、自由を用い、支配ではなく、人間関係という心のつながりを通じて、人間としての私たちを、権利を用いてさらに豊かにしていかなければなりません。

さらに権利は、多くの国の憲法、世界にあるさまざまな条項で示されているように、政治や経済という国の制度やしくみの中にも明確に保障されています。憲法は「主権者である私たち国民が政府に求められること、そして私たちの権利に対する政治権力の制限」を示しています。私たちは普段はあまり意識しませんが、憲法に守られていて、私たちとその権利を守ることが、国づくりの基本です。私たちは私たちの権利を、共に生きる社会制度である政治や経済の中でこそ、その本質をもとに訴え、用いていかなければなりません。私たちの物事に対する価値づけは未来を大きく左右します。権利にも哲学的・道徳的視座があります。哲学と道徳を知れば、権利を用いて私たちがどのようなことを行っていかなければならないのか、なにを養っていけるのかがわかるはずです。次の第五章では、これまでふれてきた四つの哲学的視座が成り立つには、どのような社会環境が必要なのかについて考えていきましょう。

第五章　私たちはどのような社会に生きていきたいのか

五つ目と六つ目の哲学：幸福と平和

「徳や義務は、自分の幸福と矛盾してはいない。それと矛盾する幸福というのは、他人を犠牲にしたり不幸にしても幸せであろうとする幸福にすぎない[54]」

フォイエルバッハ

現代に生きる私たちの傾向の一つは、価値に対して逆走していることです。正しさや善さといった社会的な価値を「私的なもの」とし、自分自身の価値観や考え方、主張を視座に論じています。このような価値を私的なものと捉えることは、自らの趣向や好みに応じて、他者や物事を「私物化」することと同じです。また、確固たる視座のない恣意性や傾向性に基づく価値感覚は、主張や行動に対する責任感が曖昧で、問題が起こった際に、考え方を即座に撤回するといった人間的な安易さに結びつきます。結果として物事の価値そのものや、それにまつわる行動、責任の所在を曖昧にし、問題の是正を怠ります。私たちは他者や私たち全体を人間的な側面から捉え切れず、社会的責任や共に生きる価値を受け入れられず、果たせずにいます。本質に逆らい、自然の秩序に逆走しています。このことによりさらに懸念されることは、私たち自身を対立軸に置き、あり方や歴史を衰退させ、また逆走させる可能性があることです。

物事の価値に対する解釈力と実践力は、私たち自身と社会に対する私たちの理解度です。私たちは価値の視座を誤ると、共に生きる時の優先事項とあり方を大きく誤ることになります。この価値の取り違えは、現在、数多くの場面で起こり、社会の中のなにかがおかしいと感じる私たちの違和感のもととなっています。これは私たちが物事の価値を解釈する際、あまり深く考えずに考えたことを価値あるものだとし、人間的な節度や責任を果たすことよりも、自分自身が幸福と感じる価値を優先させているからです。

これまでふれてきた四つの視座において私が最も言いたいことは、真の幸福感とは社会の中で国籍、出生、職業、信仰などにかかわりなく、**「他の生命と分かち合い、感じられるもの」**だということです。そしてそれこそが、人間としての大きな幸福で、**この種の心と精神の豊かさが人間的な進歩**だということです。私たち人間が物理的・精神的両面から成長できるような能力をもち、その能力が社会全体の進歩につながる時、人間と社会の進歩とは、具体的にどのようなものであるべきなのでしょうか。そして、これまでふれてきた四つの価値を支えるためには、どのような視座が必要なのでしょうか。この章で考えていきましょう。

1　人間性を守る

欲望との対峙

まず価値観に対する事実を以下に整理しておきましょう。

①　人間は知性でもって自己の価値観を構築できる
②　人間は価値観によって、他の生命の取り扱い方や状態を決定できる
③　人間は知力・行動力によって、価値観を社会において実践できる
④　人間の価値観は社会の質に影響を与える

私たち人間は社会構築の際に必要な価値について考えることができ、命あるすべてのものの現在と未来をつくります。まず私たちがその担い手として社会ですべきことは、物事の本質を解釈し、社会の質をつくる普遍的価値を哲学により設定することです。

私たちが共有する価値は、数多くある価値の中で「私たちは人間としてなにをもっていなければならないか」を示しています。個人的に好む・好まない、したい・したくない、必要である・ないにか

かわらず、人間関係の中で絶えず自らで見出していくものです。これは私たちの自由や考えがなにかによって強制されたり、制約されたりしているわけではありません。これは個人である自分自身と人間である自分自身の対峙で、自由や権利と闘っているように見えて、実は自分自身との闘いです。

現代は個人の好みや自由を前に、そのあり方でさえ、まず個人である自分の思う通りで良しとされる風潮があります。しかし、人間であることと対峙するということは他と対立することではなく、**自分自身の欲望と自分自身が対峙すること**です。そしてまた、「幸福な人間とは、自分と対立せず調和している」[55]人のことでもあります。私たち人間は物事について考える際に、共に生きるために必要な価値について深く考えられなければ、他とのかかわりを築けないばかりか、人間としての私たち自身を成り立たせることができません。また自分自身と本当には向き合えません。私たちは個人としての自分を重んじ過ぎると、人間としての自分を放棄しなければならなくなり、ただの欲深い存在になります。

欲望自体が悪いわけではありません。ただ欲望は、その土台を誤るとその性質と相まって留まることを知りません。私たちは哲学と道徳の重要性を認めつつも、目に見えるものを信じやすく、手にできるものを重んじてしまいます。これはそうすることが正しく、善いからではなく、欲望をもつことの方が節度ある行動や知性を磨くこと、人格や人間関係を築くことよりも容易だからです。またそういった心のありようを、良しとする社会を築いてしまっているからです。

欲望を叶えることが他の価値を上回ると、社会の連帯感や人間として本質的に備わっている価値は損なわれます。このことは現代社会の中で、多かれ少なかれ私たちの多くが実感していることではないでしょうか。簡単に言えば、私たちは物事の価値など考えずに、単に安易な道を辿っています。もちろん価値観を安易なものに留めることはできます。現に私たちはそのような価値観を「個性」や「自由」としています。しかし、このような価値の用い方は決して善いとは言えず、物事の価値を捉え切れていないのだと認識しなければなりません。なぜならば、そのような価値の取り扱い方は、生命や他の存在という、私たち自身にとって最も大切な価値を傷つけるからです。そして私たちの価値観が、そのような浅はかなものだと認めることだからです。私たち人間は自己を正当化しやすく、弱い生き物です。しかし、哲学と道徳により自ら強い意志をもち、行動できるのも、私たち人間です。

価値を他へ差し出す

物理的欲求が秩序を超えて、人格や社会の質の向上、他の生命の価値に逆走する時、「人間には欲望がある」ということを社会的・人間的な価値の源泉にはできません。いま私たちに問われているのは、人間性や善い社会づくりを、社会の質や他の命を損なうような価値観、つまり利己的な欲望の犠牲にしたいのかどうかということです。もしそうであるのなら、私たちは「人間としてどうありたいのか」という問いに、はっきりと答える必要があります。私たちは人間としての価値をいったいなんのために放棄したいのでしょうか。他者や他の生命を踏みにじるような心をいったいなんのためにもっていたいのでしょうか。

現代を生きる私たちは、社会不安を抱え、なにかがおかしいと感じています。不安は人間的な優しさを奪います。これまでふれてきたように、私たちが善い人間になろうとするのは、他の存在があるからです。社会運営は一人の個人、あるいは一部の人だけでは行えません。そして、社会問題というものは、私たちがどこかの段階で社会設計を誤ったか、あるいは哲学によって視座を共有できなかった結果です。哲学と道徳は単なる精神論ではありません。無駄や理想でもありません。また単なる理想でもありません。**理想とは実現できていないもののことだけではなく、まだ実行していないもののこと**でもあります。哲学と道徳は私たちに大切なことや深く取り扱うべきことを教えてくれます。哲学と道徳を本書でここまで取り上げる理由は、いま私たちが、それに向けて努力しているのかどうかを私たち自身に問うためです。私たちは物事の価値についてもっと考え、互いに論じ合わなければなりません。そして、まだ実行できていない価値を、これからの社会発展の視座に添え、未来に進んでいかなければなりません。

私たちは他との結びつきや他が与えてくれる幸福感がなににも代えがたいことを知っています。そして、この幸福感への直観が私たちに、その本質として非常に大切な価値を生みます。私たちはおそらくこのことも知っています。人間は誰もが弱さと欲望をもちます。しかし、私たち人間は知性や思いやりをもち、他とのかかわりの中で、弱さを乗り越え、望みを欲望に留めることなく、より深く、広くできます。物事のあり方を考えられ、手にした価値を自分自身の手だけではなく、他のもとへ差し出すことができます。社会に生きる一人ひとりの考える力と行動が、社会を善くするためのカギを握っています。

「モラルコンパス（人格の羅針盤）」をつくるのは、人間として生きるためのささいな視座です。現代に生きる私たちにとって、人間としてなにが大切なのかを改めて哲学と道徳から問い直し、モラルコンパスと称して示したに過ぎません。これは個人の自由や価値観といった点からも、タブーでもなんでもありません。私たちは物理的・精神的に豊かになることを求めて文明を築いてきましたが、発展した社会に生きつつも「命を大切にし、共に生きる」という最低限の哲学的視座さえ共有できていません。社会や人間が発展し、成長するとはどのような意味なのでしょうか。そして、この最低限の視座を満たすために、私たちが常に意識し、維持していかなければならない社会の土台とは、いったいどのようなものなのでしょうか。

分かち合い、保護すること

現在、途上国においては、多くの人が最低限の生活の必要性さえ満たされず、先進国においてさえ多くの人が貧困に陥り、自己実現さえ望めない社会に生きています。それは私たちが物理的価値に価値観の重心を置き、他の命を傷つけ、不平等を個人の能力や努力の問題に終始させ、解決することを怠っているからです。個人主義や市場主義、実力主義といった視座に価値を置いているからです。成長という言葉が本来は連想させる、人格といった精神的価値を資本や所有の中に埋没させ、社会そのものと私たちの人間観を歪めているからです。個人主義や自由主義が人間的な価値や権利を損なっているとすれば、そこになんらかの意図が働き、その意図のためにそれらの主張が過大評価されたり、過度に重視されていると考えるべきです。当然のことながら、このような社会に、人間として必要なものが満たされたり、自己実現や個性が叶ったりといった未来は望めません。

社会問題は複雑だとされていますが、問題を捉えどころのないものにしているのは私たち人間です。解決策を見出さなければならない状況の中で、本来は共有できる価値に目を伏せ、価値に付随する状況や情報の共有を怠り、問題の複雑性を根拠に原因を捉えようとせず、解決を先延ばしにしているだけです。私たちは原因をつくった当事者として、社会にある問題を一つずつ解決していかなければなりません。まず私たちにいま欠けているのは、人間としてのささいなあり方の共有です。私たちにとって人間らしく生きることが最も大切な時、人間らしさを高めるのは、これまでふれてきた次の四つの価値です。

① 人間としての自己認識
② 命の大切さと共に生きる感覚
③ 人間としての基礎である道徳の実践
④ 人間としての私たちを高める原則のあり方

これら四つの視座を満たせば、私たちは人間的に幸せになれます。なぜならば現在、幸福という言葉は「個人が何にも妨げられることなく自分の望みをかなえるというのとほぼ同じ意味[56]」で用いられていますが、本来、**幸福とは自然にあるものの恵みを受けたり、自分自身がもつ自然な価値を相互に活かしたりすること**だからです。私たちにとって、生きることとの軸は人間らしさで、この四つの視座は私たちの自然な立場からの価値を守るからです。つまり、**本質的に幸福とは分かち合うもの**なのです。つながったり、補い合ったり、分かち合ったり、人間としての意識があるところに私たちの幸福があります。

「幸福」は私たちにとって人間として生きる時の目標ではなく、現に人として生きることで、生きる時の土台です。たとえば欲しいものを手に入れたり、なにかプレゼントをもらうことは個人的な快、「喜び」で、それぞれの感覚です。個人的な快と不快は人により異なるので、普遍的価値ではありません。しかし、たとえばおいしい空気が吸え、きれいな水が飲めること、仲間と語り合えることは、その価値を分かち合い、生き物や自然とのつながりを感じられること、つまり「幸福」なことです。

これに反し、避けるべきことは、逆に人間性を奪うような環境です。そのような環境にあるものはすべて非人間的です。その最たるものは戦争でしょう。戦争やさまざまな争いは、「相手を非人間化して起こっているもの」です[57]。またそれは、自分自身を非人間的にすることにより起こります。私たち自身を非人間化することによって守られる「善さ」などなにもありません。本来、戦争などはどんな理由からも否定されなければなりません。この逆の環境にあれば、私たちは精神的・身体的に平和になれます。戦争のない社会が平和であるかどうかは、言うまでもありません。また、平和とは単に命を保護するだけではなく、心身を健全に維持できる状態にあることも意味します。安心感のない不安な心は平和とは言えません。平和な環境でなければ、さまざまな価値や原則、人間であることを働かすこともできません。健全に考えることもできないばかりか、信頼し合ったり、誰かと語り合ったりもできません。思いやりをもつことさえできません。私たち人間の基礎となる営みには平和が必要不可欠です。**私たちの特徴や本質的に価値としているものは、平和でなければその価値を活かせません。**

それればかりか、平和は生き物にとって命そのものにかかわり、地球環境にも大きな影響を及ぼします。生き物にとって命ほど大切な価値はなく、命への脅威に勝るほどの恐怖はほかにありません。[58] 平和は命が希求するもので、幸福は平和と同時に叶う価値です。「本質そのものとして生きることができること」と「本質を保護し、育成する環境があること」、これら二つの土台が社会にそろってこそ、生きとし生けるものは、そのスタートを切ることができます。ここで五つ目の哲学的視座です。

モラルコンパス ⊙ 5 「幸福と平和な社会環境を維持する」

幸福と平和とは命を大切にし、健全な社会を築き、公正に基づいた貧困のない社会、平等に基づいた差別のない社会があることとです。そして、人間としての価値の実現と自己の存在意義の確立、希望を自由に実践できるような社会です。さらに、人間として成長する人生を送ることができる社会です。**幸福と平和はすべての生き物の本質に根差した根源的な価値**で、人間としての本質と自己理解がなければ、私たちは人間として幸福になれるはずはなく、平和な内に暮らすことはできません。

幸福と平和が必要であることは当然のことと思われがちですが、いま幸福と平和を私たちが手にしているとは言えません。幸福と平和は単なる理想や目標ではなく、生きる上で不可欠で、命と人間であることを守るための価値です。社会の環境は私たち人間にとって非常に重要です。私たちは、まずこれら以外の、つまり幸福と平和以外のなにを必要とするのでしょうか。この二つの価値が叶わない社会に、人間として他の夢の実現はあるのでしょうか。

幸福と平和のために

私たちは幸福と平和に根差した社会環境を構築し、維持するために、まず次の二つを日々の生活の中で意識的に実践しなければなりません。

①　利己的・個人的な枠組みの中で物事を解釈することをやめ、普遍的視座を思考と行動に添える

②　自らが選択でき、実践できるという人間としての自己の価値と使命を知る

私たちが発展させるべき社会は、人間の知恵と徳の双方が発展していくこと、共通の理念や社会秩序がある社会です。[59]つまり、普遍的価値により人間らしく生き、**互いの人間性を守る生き方ができる**

社会です。

私たちが哲学により深く考え、解釈する力を鍛えていかなければ、大切だとするさまざまな価値は、単なる損得勘定の道具と化します。当然のことながら、そのような社会は本当に豊かとは言えず、心の成長や人間としての成長を叶えることなどできません。社会には、私たち人間に哲学と道徳がないために引き起こされてしまった問題が多くあります。逆を言えば、私たちの価値設定を改め、それに沿って行動さえできれば、解決できることが多くあります。私たちは自身の貴重な命を授かる中で、人間として生きることで社会を共に築いていくことができます。その意味でも、私たちは人間としての人生を社会の中で謳歌すべきです。

幸福と平和を掲げなければ、なんらかの問題が起こった際に、間違いなく「命」を懸けることを余儀なくされます。戦争が利益を生じているとすれば、それはほんの一部の人たちにだけで、現実には私たちの大多数に、そして私たち人間に限らず自然や資源、動植物に、命という最も大きな価値の犠牲を強いるのです。本質を育み、命を守る**幸福と平和の価値は、世界的な秩序**であって、私たちが人間であることを前にして、そして最も大切な命の価値を前にして、絶対的に否定できないものです。

私たち人間に哲学と道徳が欠けると、単に人の痛みがわからないといったことから、他の存在を否定するといった非人間的な態度につながります。それは私たち自身の存在意義にもつながります。私たちすべてはかかわり合って生きています。幸福と平和への意識が、そんな私たちを支える土台です。文明社会の発達とは物理的発展だけではなく、人間としての善さを養えることです。そしてそれ

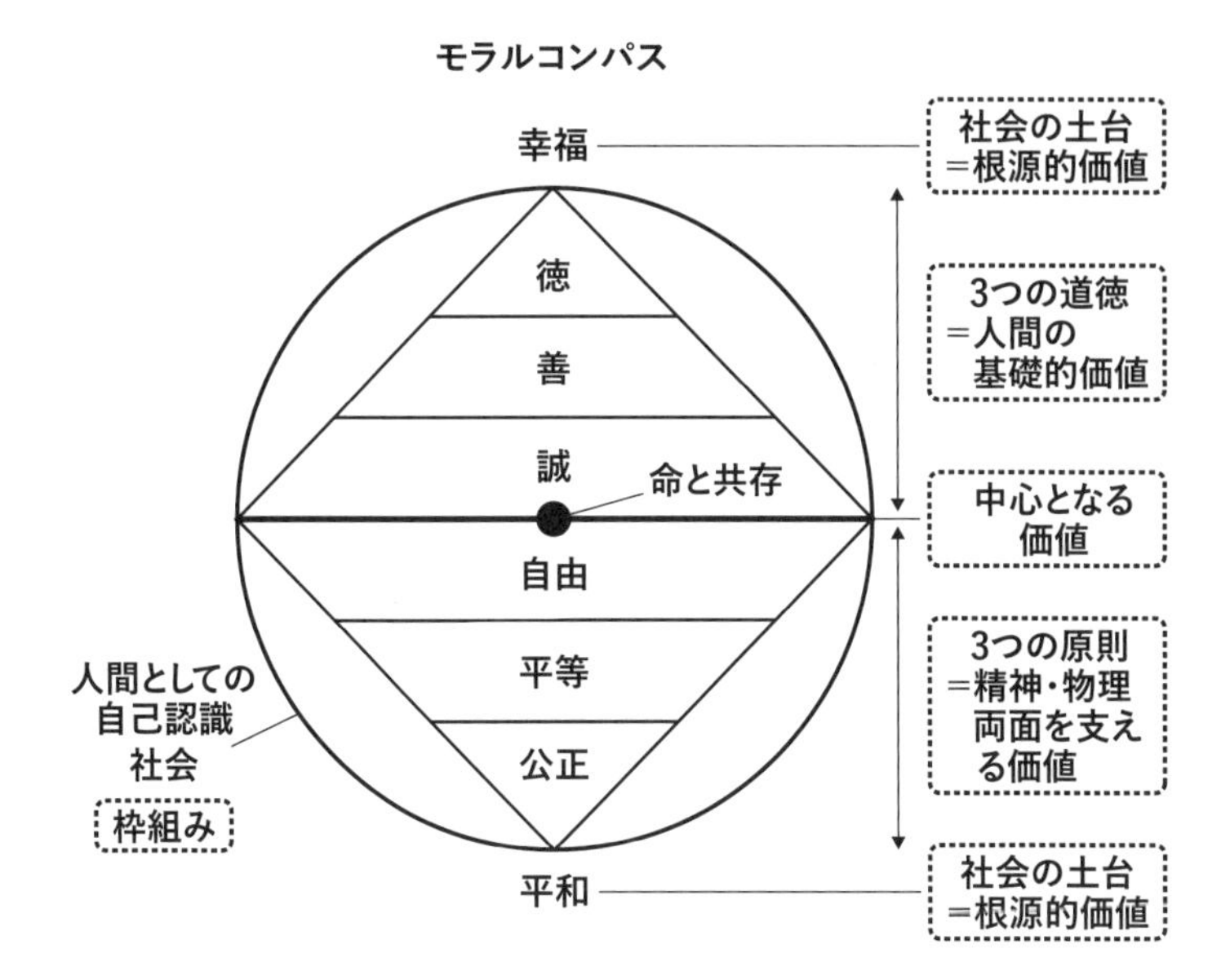

により、社会が善くなることです。哲学的に考え、道徳的に振る舞うことは、人間であることをやめることではありません。むしろ、人間としての私たち自身を高めることです。

私たちはささやかながらも、大切な価値を心に添えることで少しでも善い生き方ができるように生きるべきです。これからは少しでも自分を含めた他が幸せになるために、私たちの一人でも多くが「善い」価値を手に取り、それにより人間として成長し、共に豊かになることを目指すべきです。私たちの心の力を軽視してはいけません。私たち人間は、心に添えるささいなにかによって、善くも、そして簡単に悪くもなれるのです。

2

なにが政治をつくるのか

「ふだんから心を政府に向け、その政治の動静を見て、おかしいと思うことは誠実に語り、恐れず告発すべきである」[60]

福沢諭吉

いまの時代に生きる私たちは、なぜ大切だとわかりきっている幸福と平和を築かなければならないのでしょうか。それは簡単に言えば、私たちが幸福と平和を実現できていないからです。前節では、私たちが人間らしく生きるためには、社会が幸福と平和でなければならないことについて考えました。幸福と平和は、人間らしい道を歩むための土台です。社会で共に暮らす私たちにとって、人生の大部分が政治と経済により大きな影響を受ける時、この二つは私たちの幸福や平和に深くかかわります。より多くの人が政治と経済により幸福と平和の恩恵を受けるには、それらはどのような価値のもとに成り立つべきなのでしょうか。そしていま、特に「協調」や「透明性」といった民主社会の基本的な価値が揺らぐ中で、社会に生きる一人の人間として、私たちが取り戻さなければならない視座とはなんなのでしょうか。まずは政治について考えてみましょう。

「国民」を軸に動く

国家と政治の概念が誕生したのはギリシア時代とされています。政治の語源は次の通りです。

政治（politics）――pólis（都市）→politika（市政や市民にかかわること）。

政治はポリス（小規模の都市が現在でいう国家のように機能）から、市民（politēs ポリテース）に変化し「そこに暮らす人たちにかかわることを広場で話し合い、決定したこと」に始まるとされています。つまり政治とは、私たちを統治するためにあるのではなく、現代風に言えば、権利や原則、そしてそれに伴う義務や役割を調整するためにあり、その基礎はそこに暮らす人、「国民」にあります。つまり政治は「国民を軸に動くものです[61]」。

政治はそこに暮らす人たちが人間らしく、特に共同体で国民として生きるために、さまざまな必要事項を整えるためのもので、本質的に一つひとつの**政策はそこに暮らす人たちにとって、より深く取り扱うべきものや大切なもの**を示します。そして、一つひとつの政策が実践されるごとに、人がいる場所をより善くするものと考えられています。政治は人間としての私たちを善くする原理の下に運営され、その目的は**国民の「善を促進し、体現すること」**、そして「善い国家を築くこと」です。政治が、善く生きること、つまり人間としての私たちをさらに成り立たせます。もしこのような働きや目的がなければ、政治は単なる場所、あるいは統治することになります。

政治と経済に哲学や道徳をもち込むなという意見もありますが、政治はそこに暮らす人の本質を体現・促進するためのもので、私たちは普段生きる上でも、人間としての思慮や分別など人格に紐づく哲学と道徳を必要とし、また哲学と道徳は制度のあり方・働きを明確にします。だから、私たちにとって人間としての特徴が成す哲学や人間の基礎である道徳によって、政治とそのしくみの一つである経済を考えることや評価することなしに、社会を発展させることはできません。たとえば「経済効果がありかつ有効性が高いテクノロジーの発展にモラルの問題が横ヤリを入れている[62]」というような意見は、不道徳を正当化するためのものに過ぎません。その担い手が私たち人間である限り、政治や経済といった制度やしくみが「人の心」から離れれば、私たちの本質や権利を奪うのは明らかです。「政策は哲学への答え[63]」でなければなりません。

また「政府」とは国民の幸福と平和を支える政策を実現する組織で、「政治家」はそれを実現するための善いことがなにかをわかっている人です。国家を運営する社会制度と政治に従事する人たちは、私たちの**幸福と平和にかかわる立場**にあります。だから政治に従事する人たちが、その「あり方」といった哲学と、「働き」を示す道徳をもたなければ、人間としてなにが大切で必要なのかといった視点から政策を立てたり、実行することはできません。つまり政治的責務とは、まずは哲学的・道徳的同意をもつこと、言いかえれば「明確な人間的立場をとること」、そして「価値としたことを実行すること」です。社会をつくる政治という制度に哲学と道徳に基づいた人間観がないところで、健全な社会を築くことなどできません。正しい権力の行使もできません。私たちの中で政治に携わる人は、その制度の中で暮らすすべての人に対して道義的責任を請け負っています。政治は政治に携わる人たちが力関係を競い・蓄える場ではなく、人間としての理念や道を一つひとつ達成していく場です。

「正義」と「権力」

国家の概念が誕生したと言われるギリシアにおいては、政治学に「政治学と倫理学が属していた」ように、国のあり方と「正義」は同時に論じられ、政治は長らく哲学と共にありました。「知恵をもつ哲学者が統治者になるか、統治者が哲学を学んで知恵を身につけるかのどちらかでなければ国家の正義は実現できない」という言葉に代表されるように、正義という言葉自体も国家の概念の登場と時を同じくし、私たちと共にあり続けています[64]。

正義とは「人の道に適って正しいこと」で、人の道とは「人が踏み行うべきこと、物事がどうあるべきかの理由」です。簡単に言えば、政治にとっての正義とは「ある制度のもとで暮らす人びとが人間らしく生きるにあたって価値あることを築くこと」です。その担い手やそれに伴う物事を最大化することではなく、最善化すること、「善を追求する」ことです。しかし現在、政治権力の腐敗が散見され、そして特に自由な競争の観点から、経済的な不平等や貧困を生むような事態が起こっています。

政治は政治そのものが腐敗、経済は経済そのものが腐敗するわけではありません。政治と経済に伴う権力が腐敗するのではなく、その担い手である私たち人間が堕落しているだけです。なぜならば、政治にはそれを動かす人の意図が働き、権力とは人間が手にするものだからです。私たちは権力を擬人化することにより、政治や経済問題の責任の所在を曖昧にしています。社会制度の責任の所在のような、はっきりさせなければならないことをはっきりさせないことは、そもそも「人の道」にもとります。それを日常的に目にするのは異常な状態で、そこに暮らす国民がそれを知りながら、社会制度に対して本当の安心や信頼を抱けるはずがありません。

政治は価値観や思想、意見の違いを悪用しながら力関係を競い、蓄える場ではなく、人間として大切なことやより深く取り扱うべきものを熟考し、その場に生きる人たちの正義や権利を明確にし、実行に移す制度です。そして権力とは、「人の道に沿って統治するための権利をもつ」という意味です。それは本来その力をもつ者が、**公的な物事の価値を高めるためにある**もので、権力とはふるうものではなく、**そこに暮らす人のために用いる道義的力と、そうできる能力**のことです。

政策策定・決定を実行する側が、私たちが社会で人間として共に生きるにあたりなにが大切か、なにが必要か、それらを考えられ、果たせることに使える力です。もしそうできないのであれば、その力を用いる資格はありません。先にふれたように、資格とは「してよいことをするのに必要な条件」を満たさなければ使用できません。

その資格を有するとされる人たちが、目指すべき社会や道義的責任がなにかを明確に答えられない場合、もっと言えば、人の道に適った政治的目的や理念（philosophy）、そのために必要な価値がはっきりとわからなければ、その資格はありません。そして、それを考え抜く知恵や能力がなければ、人と社会の幸福と平和にかかわるような重要な職務を全うすることなどできません。それにふさわしい行動がとれる、そのための政策を考え抜き、実践できる、政治権力はそのためにあるものです。

政治にかかわる意識

また社会で暮らす私たちは共同体に生きる人間として必要な価値を知り、国民として政治にかかわっている意識をもたなければなりません。そうできなければ、私たちの幸福と平和にかかわる政策の過程で、必要なことや深く取り扱うべきものがなんであるのか、大切なものが見落とされていないか、価値とすることが正しく調整・決定されているかを判断できません。誤りがあった際に政治を正せず、正しい恩恵を受けることができません。さらには、代表民主制をとっている国では、本当に必要な代表者を選ぶことができません。

私たち人間は社会の質に最も深くかかわる存在で、社会のあり方の程度をつくっています。政治決定が私たちすべてにかかわり、政治が人間らしく生きていく上で必要な制度である限り、私たちにとって大切なことを考え・実行する最も大きな場である政治にかかわる意識をもち、そのあり方について深く考えなければなりません。「自らが暮らす場」という意識を超えて、「人と人が共にいる場」を築くことがどのようなことかを理解し、その上で価値を選択し、それらが政治によって守られ、保障されることを求めていかなければなりません。私たちが価値とするものを、政策として実現できる人を選ばなければなりません。

政治も経済も、ある日突然誕生したのではなく、私たち人間が自らの必要性に応じて生み出したものです。私たち一人ひとりが国・社会の設計者です。より高度に発達した共同体で生きる私たちにとって、国民であることを私たち人間に含まないことなどあり得ません。人間としての卓越性を示すのに、国民としての卓越性を含まないことはありません[65]。私たちは政治にかかわることで、より現実を見る目を養い、人間としての自己を確立しなければなりません。私たち一人ひとりが国民として普遍的価値を主体的に応用することによって、社会にある問題は克服されるべきなのです。だから、私たちにも、そして政治にも、哲学と道徳が必要なのです。

私たちが人間としてより善く生きてこそ、民主社会や政治も進歩し、同時に信頼されるものとなります。信頼感とは相互のもので、信頼を築くためには従事者が道義的責任を請け、それに根差した政策を実行するだけではなく、社会に暮らす私たちも政治に対して関心をもち、かかわっていくことで、一人の人間としての道義的責任を果たしていかなければなりません。

私たちが当事者として幸福や平和に対する関心がなければ、世の中で起こる出来事に対する現実感もなくなります。「腐敗した組織体が自らの手で自分自身を改革するなどというのは、矛盾した考え」[66]で、私たち国民の政治への関心や参加は、政治的弊害をより小さくし、恩恵をより大きくします。つまり、政治に従事する人たちが哲学と道徳をもつだけではなく、私たちの側が政治を単なる組織や制度ではなく、一つの視座として捉え、それに対してどこまで自分自身を関連づけ、深い関心をもち、かかわっているかに私たちの幸福と平和はかかっています。ここで六つ目の哲学的視座の登場です。

モラルコンパス 6 「社会の担い手は私たちすべての人間。自らの幸福と平和にかかわる政治についてもっと深く考え、かかわっている意識をもつ」

単に選挙で代表者を選ぶことが民主政治ではありません。民主主義とは政治的な価値ではなく、共同して社会に生きるための根本価値です。つまり社会でどう生きるかは、単に個人の裁量、自由であることではなく、私たちが道徳や原則という人間としての義務や権利、役割を果たす上にあります。その一つが社会の担い手であるという意識の中で、自分自身のこととして政治に関心をもち、かかわることです。危機にある時に政治に関心をもつだけでは不十分です。危機にある時には課題が多くあり過ぎ、国家の権力や権限が強くなり、私たちがもつ権利や原則が制限されます。

私たちが人間として生きるために必要なものを政策として考え、不足していればそれらを補う価値が政治です。私たちは社会に不足しているものがあれば、政治に対して求めることができます。政治に対して求められるものは物理的・精神的価値、その両方で、それらは社会保障や人権として、各国の憲法や条項などに明記されています。私たちはすべての権利・原則、未来に対し、どのように職務が遂行され、どのような政治的判断がなされるのかを当事者として常に注視しておかなければなりません。

政治に関心をもつこと、つまり**人間としての立場から自分自身で共有価値について考えることは、私たちの役割の一つ**です。共有価値とは国家に差し出されたり、押しつけられたりするものではありません。政治への関心は人間としての自分自身をどう捉えるのか、他をどう重んじるのか、また自分自身も社会の中で人間としてどう重んじられるのかに対して生まれるものです。社会的に弱い立場にある人の存在や社会問題についてより深いレベルで気づくことです。他者とのかかわりの最大の場である政治への関心は、人間らしい人生を重んじ、互いを守り、知り、理解するためのものです。人間の特徴は、このためにもあり、政治とのかかわりによって高められます。国に生きるとは、そういうことでもあります。そして人間として社会に生きることが、そういうことでもあります。

政治に向き合い、社会のあり方に関心をもつことは、**他者との関係の中で、人間としての自分自身を築くことの一部**です。政治に関心をもてば、権力の行使者に対して哲学と道徳をより正しい形で求めることができます。もし社会制度があるべき姿に反しているのなら、私たちは社会の担い手として、政治や必要な価値・政策について語り合い、それを正し、善くする役割を果たしていかなければなりません。政治に参加し、政治について考えることは「人類の進歩のために努力すること」[67]で、自らが暮らす場を自らで善くすることです。政府を動かすのは国民であり、いまの時代にあって、国民の意に背いた権力の発動が行える民主国家などあってはなりません。

政治的価値を正しく示す

加えて代表民主制をとっている国では、その代表者が哲学と道徳を再考しなければなりません。本来、政治家やその仕事に携わる人たちは、**必要な政策について十分に吟味できる専門家**です。そして政策の実行の際に、その政策に影響を受ける私たちに対して、その必要性や過程、それに伴い実施することを専門家として十分に説明できること・すること、そして必要な判断材料を提示することを基本とします。

第三章で、「誠」という道徳的価値について取り上げましたが、政治に携わる人については、人間らしく生きるための優先事項がなにかわかっているだけではなく、説明や適切な処置、質の高い情報の開示を十分にできる＝「透明性」が誠実さにあたります。そして当然のことながら、その反対であれば「不信」となります。たとえば、情報に対する民主的透明性がなければ「なんだって主張できてしまうし、どんな妄想話を煽ること」[68]も可能になります。政治にかかわる人たちが責務を果たし、政策に対する考えや根拠、過程に対する説明責任を十分に果たすためにも、政策策定・決定において、哲学と道徳をいま一度、重んじるべきです。その代表者が必要な政策に対して明確な解釈力と実践力をもつことは、政治に携わるための最低限の資格です。

解釈とは「どんなものを、どのように、誰のために、なんのために、どうするべきか」を吟味できることで、実践はその力の使い方です。現在はこの権力の使い方ばかりが注目され、政治の本質が曖昧にされ、単に現象として捉えられています。現象とは「感覚が捉える外面的・個別的な現れ」であり、それが本当であるかどうかやその背後にあるものを問題としませんが、制度としての政治は非常に現実的なものです。私たちは私たちの幸福と平和、つまり命にかかわる政治のような重大な制度を、現象のような曖昧なものに留めてはいけません。政治をなんだかわからないもの・曖昧なものに留めることは、政治にかかわるあらゆる物事の価値を対立軸に置く事態を招きます。左派や右派、自己と他の人間化と非人間化のような思想や価値の捉え方は、単に思想や価値を政治的対立のものに貶めるだけで、本来の政治的価値を正しく示しているわけではありません。論点を全く別のものにすり替えてしまい、大切なことをうやむやにしたり、見落とす事態を招きます。

政府や政治家の役割は、**そこに暮らす人の人間性を育むための政策づくりとその実践、そして人間性を向上させ、それが阻まれるような状態を回避すること**です。たとえば、いまあるような非常事態の回避は国家的な知能・戦略の問題であり、そこで暮らす人たちを守ること、さらに言えば、国々が共同してそのような事態を引き起こさないことが、政治に期待され、与えられている役割の一つです。

いま全世界が直面している感染症は生命の自然現象の一つであり[69]、これまでの歴史的事実や現代の技術をもってすれば、ある程度、予測可能で対策が立てられる問題です。この点からは、この問題は自然破壊や政策といった、政治と経済の失敗によって悪化したと言っても過言ではありません[70]。特に日本においては、二〇一九年に感染症対策に対する組織の弱体化の問題がかなり問題視されていました[71]。これまでに対策や施策が必要であったにもかかわらず、多くの問題が見過ごされ放置されてきたことは明らかです。このことは問題が起こった時の政府の対応にも見てとれ、数々の問題が一気に表面化したことからも、必要な政策について十分に吟味されず、実践できていなかったことに言い訳の余地はありません。これらの問題によって、政治が信頼を得るよりも、国民の中にますます不信感が募っています。幸福と平和にかかわることが、私たち国民のためではなく、自らの権力の維持や利益のためになされたのではないかと国民が不信感を抱くのは当然のことです。**政治が取り扱う幸福と平和は、私たちの命と人生にかかわります。**私たちはもっと怒るべきです。

政治への向き合い方を変える

政治は道義的意義をもつ価値であり、国家はその意義や価値を達成する手段です。意義や価値を見失った国家は、それ自体の建設だけがその目的となり、非道義的な、言いかえれば、そこに暮らす私たちの善を無視することを目的とするような組織に成り下がります。そして、私たちは社会に暮らしながら、疎外された存在になります。

政治への参加は、私たちの**人間としての自己認識の程度と他の存在への関心度**を示します。そして政治が私たちの権利や義務に応じているかどうかは、**そこに暮らす人たちへの政治従事者の関心度**を示すものです。幸福で平和な社会を築けるかどうかは、社会や人間性について、私たちがどこまでより深く理解できるかにかかっています。一人ひとりが社会の担い手であることを意識し、私たちの幸福と平和に対して、自らが社会でなにができるのか、すべきなのかを考えていく必要があります。

社会問題は社会の大半の人にとっての問題です。特に幸福と平和にかかわる政治に関心をもつことは、幸福で平和な人生のためには誰にとっても必要不可欠です。政治は常に幸福と平和を生み出さなければならず、平和的でない政策は社会に混乱を招き、人間性を奪い、不安定な社会を生む要因になります。私たちが幸福や平和を成し遂げていないのは、政治に携わる人たちが政治の手段と目的を見誤り、人間的な価値に沿って目標や理念を立てられず、具体的な政策を行動に移せず、政治的責務を果たせていないからです。政治のような重要な課題に対して、必要事項さえ学ばず、専門家としての資格を有していないからです。そして、私たち国民の社会の質をつくる当事者としての意識が低く、責任感と熟慮に欠け、政治にまつわる判断が安易だからです。

現在のように、世界的に重大な局面に立ち、不安定な時代を生きているにもかかわらず、私たちが互いを大切に思い、問題に向き合うこと、その解決のために必要なことを共有せず、幸福と平和という社会の根本に無関心であれば、そして今後も向き合い方が変わらないのであれば、間違いなく、将来に（非常に近い未来に）大きな禍根を残し、非常に大きな災いをもたらすことになります。どうしてこのような社会を築いてしまったのでしょうか。いまある社会制度の不正義や無秩序を払拭するには、まず私たち自身が人間としてなにができるかに意識を向け、考え始めなければなりません。考えることは、ちょっとした習慣でもあり、私たち自身を大きく変えるものでもあります。行動の原動力にもなります。そして、またその逆、考えないことは、私たち自身のなにかを大きく損なうこと、これもまた然りなのです。

3　力学ではなく哲学で考える

あるべき価値の付与を叶えるために

現在、経済は私たちにとって生きるしくみの一つに過ぎないにもかかわらず、私たちの人生に占める割合が大きくなり過ぎています。そしてそのモデルの一つである資本主義社会に暮らす私たちは、資本によって手に入れられるものを勘定し過ぎているので、その実践にばかり注目しがちです。しかし私たちは、経済資本主義によって得られるものではなく、失われるものについて、より深く考えなければなりません。なぜならば、第一に、経済は人生を占めるほど大きなしくみであるにもかかわらず、あるべき価値の付与を叶えていないからです。それどころか、本来、私たちに備わっていた価値や、手にしているであろう価値をいつの間にか失わせてさえいるからです。そしてこのことは、資本主義が**人間性の犠牲の上に成り立っている**ことを意味するからです。

また第二には、もしその失われるものが私たちの本質にかかわるとしたら、資本主義が「人間として合っていない」と本来は考えるべきだからです。にもかかわらず、資本主義が人生で大きな割合を占めているということは、その価値がかなり過大評価され、私たちがあるべき社会モデルに対して迷走してしまっていることを意味するからです。

私たちと共に長らくあるように、経済は私たちにとって欠かせないしくみです。当然、私たち人間には経済によって守るべき、そして育むべきものがあります。まず経済を進めるにあたって問うべきことは、経済によって私たちは**「どう命の価値を守り・育み、なにを人としてもたらしたいのか」**です。貧困から救われることでしょうか。心身ともに健康に過ごすことでしょうか。精神的に、あるいは物理的に豊かな生活を送ることでしょうか。経済はそれを補うことができるのか、補えるとしたらどの部分なのかは、まず経済を進める上で考えていかなければならないことです。そして同時に、それらはすべての人や他の命、社会にどうかかわるのか、人間性やその他の本質にどうかかわるのかといった、哲学的・道徳的価値が問われなければなりません。この節ではいま、経済資本主義のいったいなにが、哲学的・道徳的に問題なのかを見ていきましょう。

暮らしの「節度」を図る

まず経済の語源を見てみましょう。経済の語源は政治と同じく、ギリシア語からなります。

経済（economy）―― oîkos（家、家計、住むところ）＋ nómos（管理、規範、分配）＝家計の管理・住む場所の秩序。

「経済」は私たちが生きるために必要としたしくみの一つです。「家計の管理・住む場所の秩序」とあるように、「利」だけではなく「理」、道徳的な基礎をもち、生活の節度を図ります（当時は国家の経済も含む）。経済は生活における必要物資や生きる上で必要な価値、それらの質と量にまつわる「正」だけではなく「負」も管理し、生活の質を調整・保護します。つまり、経済にも本質的に、「なにを、なんのために、誰のために、どのように、どのくらい」といった解釈と実践、哲学と道徳があります。しくみである経済や企業には、政治と同様、そこにいる人たちが経済を通じて、共に善く生きること、そして、人間として生きる際に不足しているものがあれば、それを補うといった原理が必要です。またそうでなければ、私たちが生きるために、そして生活するために本当に必要なものや欲しいものと、経済が無関係になります。経済発展に節度や秩序がなければ、ただ物があふれるだけの世の中になります。

経済に哲学と道徳が必要な理由は他にもあります。第一に、経済は私たちが人間らしく生きるための秩序、欠かせないしくみの一つであり、そのあり方や進歩が人間らしさと切り離せないからです。そして、哲学と道徳が、人間の特徴と不可分な真の要素を発見できるからです。また第二には、現在経済が主要とするモデル、資本主義における効率性や利便性、それが目標とする資本の増大などの基準で人間らしさを図ることができないからです。市場における合理性や効率性と、私たちが人間らしいとすることが合わないばかりか、資本主義から得た所有物で人格を図ることはできません。短期的、そして即座に利益を生み出さなければならないようなしくみは、私たちの哲学的な能力や道徳観を奪います。なぜならば、深く考えるには時間を要し、市場とはその構造や性質、そして利とすることが真逆だからです。

資本主義の哲学的弱点

資本主義は基本的に、すべてのものの商品化を目指し、すべてにおいて利潤を追求しようとします。私たちを労働力と見なすように、私たちの人間性ではなく資本価値を勘案し、その増大を目指します。人間や人間性は物質的な概念ではありません。私たちは労働力ではなく、人間です。効率性が必要とされる機械のような存在ではなく、さまざまな立場や条件、個性や能力をもっています。特に、豊かな人生や人間性のような質的価値は、量が価値の軸とされた時に、その合理性や効率性に勝ることができません。そして合理性や効率性が重視されれば、それができない人たち、あるいはすぐさま消費に結びつかない職業や価値、能力にあまり目を向けることがありません。これは職業に対する差別と同じです。また社会的に脆弱な立場にある人などは、ほとんど目を向けられることなく、その輪から締め出されてしまいます。これはほとんどの人たちを搾取される側として同意することと同じです。多くの人たちが、いまだ日々の生活のことしか考えられず、自分自身が本来もつ力が尊重されたり、活かされることがないようなしくみは、そのあり方としては誤っています。その誤りを哲学と道徳を用いて正し、善くする必要があります。社会が発展しつつ、人間が後退するような事態はあり得ません。もし私たちの人間性が後退しているのであれば、その社会モデルは見せかけで、そこに掲げられるような社会貢献では、私たち自身や社会の本当の進歩は見込めません。私たちは私たちに合う経済モデルを考えなければなりません。

物理的価値は利益を得るか・得ないか、結果として目に見える価値が正しいとされます。それは資本であったり、それに伴う権力であったり、なにか手にできるもので、目に見え、わかりやすいものです。その中でも、特に資本は非常にわかりやすい基準です。所有がもたらす社会問題である貧困と不平等は、物理的価値を基盤とする社会観や人間観、ひいては生命観により生まれています。不公正や不平等がある現代社会は、物理的所有をより多くもつ者にとり、彼らが望む価値を優先しやすくし、ほとんどの人には精神的価値や諸原則・諸権利さえも関係なくします。史上、最も大きな資本を私たちが有している時、貧困や不平等が大きな問題になることは「経済の成長と私たち大多数の豊かさが必ずしも一致していない[72]」こと、そして物理的な価値が、私たちを人間的な価値から大きく引き離すことを教えてくれます。

現在の史上最大の不平等は、経済資本主義がほとんどの人に莫大な利益の恩恵などはもたらさず、資本によるデータが私たちの実生活を反映しないことをはっきりと示しています。技術の進歩や社会貢献は商業化推進の建前で、挙げ句の果てには「商売（business）だから利益を考えて当たり前」とばかりに哲学と道徳を無視し、開き直っています。このようなあり方を認めることは、命を不平等に扱い、人間性を資本の犠牲にしていることを認めることと同じです。史上最も多くの資本が存在しながらも、その資本を手にするのが一部の個人である限り、資本の所有によって私たちが公正かつ平等、自由になる、そして社会が豊かになるとは言い難いのです。そして、より重要なのは、私たちが分配し損ねているのが富だけではなく、それぞれのもつ能力や価値、原則や人権、そして命といった本質かつ人間的価値だということ、そしてそれが奪われているということです。

このことは資本主義において、権利や自由が取り繕われていることにもしばしば見られます。市場の自由、所有の自由など「自由」という言葉を使用することによって、あたかも市場の利益がすべての人にかかわり、すべての人の権利に訴えているように見えます。しかし、市場の自由というものがもはや一部の人に限られている時に、自由という言葉を盾にするのは性質が悪く、道徳的にも誤っています。第一に資本主義は自由や権利がどうではなく、儲(もう)からない領域には決して踏み込んできません。それは単なるそうできる人たちの権利の主張であり、権利あるものと見られているのは自らがより多く所有する権利で、他の利益を追求しているように見えて、自らの利益を追求しているに過ぎません。それは自由ではなく、単なる欲望の主張です。特に資本主義社会に生きる私たちは、自由により得られる所有欲が他の価値よりも異常に上回っています。このような欲望を満たすために自由を所望することは、人間として善いことなのでしょうか。そして経済や自由が本来もたらすべき価値に本当に合っているのでしょうか。

自己責任論

現在、経済格差（不平等）は自己責任という考え方があり、このことは個人の才能や努力といった側面からアメリカの大学の授業でも頻繁に議論され、意見が分かれる問題です。しかし、現代のような不平等な社会状況で生まれる経済格差は、全くの自己責任ではありません。資本主義は現時点で経済的に大きな価値を生まないとされる職業や価値、能力に目を向けません。また現代では、努力や才能はそれらの状態を賄える（afford）人たちの特権になりつつあります。それらは単なる特権や既得権ではなく「先取権」に近いものです。才能や努力は、そうできる環境、競争力と競争できる生活基盤をもつこと、より多くの有益な情報へのアクセスや人脈によって開花する可能性が高いことは否定できません。

また経済格差（不平等）の問題は特に物理的な利益や所有を伴う場合には、個人の生まれもった能力や才能、そして努力を盾に正当化されやすいものです。しかし、個人がもつ才能や努力は、他や社会があるからこそ成り立ちます。また能力とされるもの自体、その時に社会が必要とする価値に影響を受けるので、完全な個人のものとは言えず、「個人の事柄[73]」です。

人類は階級社会からの脱却と打破から、自由や平等といった価値を築いてきましたが、もつ側の論理を優先する時、本来すべての人に与えられる自由や平等は幻想に近くなります。人間としての価値のもとに選択できることが同じでない場合には、その視座や解釈は誤っています。市場の論理は自由と平等という名のベールをかぶっているだけで、悪質な特権階級を生んでいます。資本主義が私たちの人間的な価値を奪い、職業による差別や不平等を生み、権利や原則が一部の人たちや巨大企業の特権・先取権であることは、長い歴史の中で哲学や道徳、公正や平等、そして自由という価値を見出し、築き上げてきた私たち人間には、とても嘆かわしいことです。

経済中心に考えることは、人間本来のものではない

世界の多くの人がその日の食事、飲み水もなく暮らす中、あるいは先進国においてさえ一定の貧困層が存在する中で、自己責任という視点には他者への思慮が欠けています。このような状況は自己責任でもなんでもありません。不平等に対する「自己責任論」は、私たちと社会や他を切り離して考える論理です。それは強者の論理という以上に、他者だけではなく、明らかに社会的に弱い立場の人たちへの思慮が欠けています。実際に、資本の所有の差が莫大で、最低限の生活の必要さえ満たされない人たちが多数存在しているという事実には、貧困が単なる富の差ではないこと、人間として必要な最低限の価値さえ行き渡っていないこと、そして私たちに思いやりや思慮、熟慮が大きく欠けていることが如実に表れています。このようなあり方を価値としてもっと、最終的には自分さえ良ければよく、自分自身が手にするものに目を向け、なにを所有するかを勝ち負けとし、あるいは所有物で人を評価することが生きる際の基準となります。結果として、手に入れられるもので自分自身の価値を評価・判断し、そうして価値を勘案することでしか、自分自身と他者との関係を成り立たすことができ

なくなります。他人の気持ちを考慮しないばかりか、無用に傷つけ、常に成果や勝ち負けを重視するようになります。動機が愛情ではなく、打算や自らの利益といった欲望、好みの総計だとすれば、私たちはその行為により人間的な思慮やあたたかさ、品格や信頼を感じることなどできなくなります。

視座を資本の獲得や所有に置いた場合、「資本所有の差」はそれが莫大であっても正当化されます。自己責任論は貧困を単なる「差」とします。しかし、経済格差は「差」ではなく「不平等」です。不平等は私たちが人間らしく生きるために必要とした価値とは真逆のものです。資本主義は私たちを自然なあり方から切り離してしまいます。「市場主義が、何を尊ぶべきかという（私たちの）考え方をねじ曲げてしまったのは明らか[74]」です。人間らしさは価格や労働力、つまり効率や利益、機能では図れません。人間らしい社会は、実力主義や資本主義だけでは達成できません。「経済的に考えるというのは、人間本来のものではないのです[75]」。

私たち人間が能力をもち、生きるために努力できることは、その基盤が他を思いやれることであって、自らの能力をただ単に自分自身のために用いる努力のことではありません。他とのかかわりを視座に能力を磨けること、それが私たちにとって努力と呼ばれる、人間として尊ぶべき力の一つです。

自由経済が人間にとって必須であるという議論があるにせよ、そのような論理は力をもつ側の論理です。資本を所有できない人に対しては、その存在を無視しているか、所有する可能性を夢見させるだけです。資本をほとんどもたない人は、現実の中で資本によって常に追い立てられ、そのような環境の中で見る夢は、悪夢でしかありません。

そもそも生産自体が資本をもたない人を考慮していません。需要と供給そのものは、必要性という根本的な視点とは必ずしも一致しておらず、将来、格差（不平等）や食糧不足などの問題が広がっていくことが容易に想像できます。物理的価値が重視される現代社会では、ほとんどの人は選択の自由を奪われています。貧しい人は資本主義により、ますます日々の生活に追われていきます。通常もたらされているような生きるための原則を、ある人はすでに奪われています。人間らしく生きる権利という以前に、生きる権利を、です。私たちは人間として生きる限り、そのような状態で生き続けていくことはできません。そして、そのように生きる限りは、経済でもってなにか善いことを達成することなど絶対にできません。

人間から離れゆく私たち

「幸せになるには経済的に成功しなければならない」という観念の中で幸福を追求するのは、非常に危険です。人間にはそのような悪しき本性があるといって、それが本当はどれほど品格や人間的なあたたかさに欠けているかに目を伏せてはいけません。過剰な資本や不平等は私たちを幸せにしません。経済的な成功によって自分自身を他者より価値があると見なすことでは、当然のことながら人間性を豊かになどできず、私たちの関係性は不安定になります。私たちを搾取する側とされる側、資本家とそうでないものに分断し、強欲にし、心身の幸福感や平和から遠ざけます。「私たち人類は蓄財を始め、戦争を起こした」という歴史的な見方もあります。[76] つまり、必要以上の価値を手にすることやバランスを欠いた過剰なものは、幸福や平和とは真逆のことを引き起こす要因になり得るのです。

かつて市場の定義の一つは「人間が平和に交流できる中立的な場[77]」でした。つまり、市場は人間の生活上の必要性を満たし、人びとの交流を生み、社会的安定をもたらす存在になり得るということです[78]。現在でも取引による平和の実現は、市場の純粋な役割の一つです。平和でなければ、健全な市場を成り立たせることも、健全な取引も不可能です。しかし、市場は「財産を獲得する最大の手段」に変質し、また地域や国家間の力関係、資本のもつ影響力の増大により、その枠組みは互いに与え・補い合うものから、特定の力をもつ者が奪えるしくみへと変わっていきました。そして政治と交わることにより、より平和を脅かす物を取り扱う場へと変容しました。どんな生き物でも、物事でもその必要性に反して自らの本質を変える時、その純粋性は損なわれます。そして、それにかかわる存在の純粋性も奪っていきます。

いまも昔も市場には別の意味での壮大な哲学が存在します。つまりは社会の質を示す平和の実現です。不平等や不公平な権利意識が、健全な社会の構築や平和をもたらさないことは、誰の目にも明らかです。本質を問い直すこと、質的価値を求めること、これらの哲学こそが経済を含めた世の中のあらゆる諸制度・しくみに求められなければならない視座で、真に人間性に適う制度やしくみの実現を促すと考えられます。

人類は現在、有史以来、最大の量の富を所有していますが、その不均衡はかつてないほど深刻です。経済的不平等が政治や社会的権利に影響を及ぼしていることに疑いの余地はありません。私たちは資本の所有により、人間的な権利を差し出してさえいます。富の分配の不均衡は大多数の人を物理的に豊かにしません。むしろ、**人生のあらゆる場面に市場の規範を取り入れることにより、私たちの道徳心はその維持を困難にする可能性さえあります。**私たちは資本をもたない人たちの参加を許さないような、また単にものの生産と私たちを結びつけ、私たちの大多数を人間本来の価値や権利から遠ざけるような経済モデルを改め、経済をいま一度、どのような原理で動かすか考えるべきです。私たちは、私たちを本質に引き戻すような価値を軸とした経済モデルを考えていかなければなりません。

現代社会は政治が経済を目的とし、また経済が政治決定にも大きく介入しています。私たちは「市場経済を持つ状態から、市場社会である状態へ陥ってしまった[79]」のです。そしてまた「富の分配の話をするときには、いつも政治がその背後に控えている[80]」としたら、私たちと政治に従事する人たちが「政治がなんのために、そして誰のためにあるのか」を再考し、あるべき理念でもって政治を正し、的確な優先事項を設定し、社会を善くしていくしかありません。

日常的に問題を生み、平和を脅かすような政治と私たちを競い合わせるような経済は、私たちのために機能しているとは言えません。国同士が論争をしているからといって、国民同士がそれを望み、そうしたいわけではありません。もし代表者を選んだ私たちに過ちがあるとしたら、私たちは私たちにとって大切なものを取り戻すために、考え、議論し、それを正す必要があります。誤った構造を変えていく必要があります。数多くの問題が起こり、それらが政治と経済に深くかかわっている時、人間らしい社会は人間性に欠けた権威、実力主義や市場主義、自然への道具主義では達成できません。

言うまでもなく、無責任や強欲は人間として善いかどうかを価値の視座にもちません。政治と経済にまつわる問題は、制度やしくみのモデルを選択している私たちの哲学と道徳の問題です。もっと言えば、人間性の問題です。私たちは政治と経済に対して、**人間としての根底を問うような価値を測るにふさわしい視座**を用いるべきです。制度やしくみの中で傷つけられていると感じる時、政治と経済に積極的にかかわり、それらを善くするために、それぞれがもつ力を発揮するべきです。私たちの人間としての卓越性は他のことを考えられること、ひいては社会のことを考えられることにあります。哲学的視点から自己の行為を顧みないことは、徐々に人間らしい思考や価値を損なわせます。人間らしさから乖離すれば、大切とする価値や他や社会から、私たちは徐々に離れていきます。物事のあり方を見つけ出そうとする哲学は、一人ひとりの単なる価値観や一部の人たちのための価値ではありません。**哲学は私たちが特徴的に目指すもので、道徳は人間の基礎であり、社会を理解する力**です。そして、社会のしくみである政治と経済は本質的に哲学と道徳がつまったものです[81]。

力学ではなく哲学で考える

明らかに現在の政治構造や政治への意識、経済構造は幸福や平和、そして人間性の獲得になじみません。人間の本質にかかわる政治や経済は、私的なものを勘案するために権力を欲したり、保持したり、人間性を効率や資本に還元する力学ではなく、哲学で考えていかなければなりません。力で得たものは力により奪われても、それが正しいことになります。深く考えることによって得たものは、次にはより深い洞察が必要とされ、その価値が簡単に揺らいだり、失われたりすることはありません。不安定だとされる現代社会において、私たちに本当に必要なのは力関係ではなく、深く考え、思い合うこと、哲学です。

制度やしくみ、モデルにかかわるのは私たち人間です。私たち人間に合わないものは、いずれ変化を余儀なくされます。なぜならば、私たち自身がその制度やしくみの中で疲弊・衰退してしまうからです。逆を言えば、人間らしさに適うものが、長らく継続していける制度になり、しくみになれます。その構造としくみがなにかを考えることが、現代を生きる私たちに課せられた政治と経済における最も大きな課題です。

みんなで分ける魚には刺骨がない

政治の代替案は存在しません。政治は私たちが参加し、注視すること、その価値を深く考えることといったかかわり方を変えることにより、善くしていけます。そして、資本主義の代替案がなにかを考える際には、まず物理的価値の所有を私たちの人生の最優先事項から外さなければなりません。なぜならば、私たちの欲深さが変わらない限り、資本と同じような性質をもつものが次のモデルにも求められ、また当てはめられるだけだからです。

「人びとみんなで分配する魚には刺骨(さしぼね)がない(82)」。本章において、幸福とは分かち合うものと述べました。幸福は分け合っても減るようなものではありません。むしろ幸福とは、分かち合うことにより、広まったり、深まったりするものです。政治と経済の根底にあるのは「どんな社会に生きたいのか」です。私たちが幸福と平和の内に存在できる人生を送りたいか、あるいは幸福と平和を犠牲にする社会に生きたいかです。言いかえれば、人間としての人生と命、友人関係や普段の生活、仕事や趣味、自らの可能性や人間としての品格を、支え合いや互いの成長の中で育める社会で生きていきたいかです。あるいは、それらすべてを経済にかかわるもの・手段として勘案するような社会に生きていきたいかです。私たちは政治・経済構造のなにが人間として共に生きていく上でふさわしくないのかを当事者として熟慮し、可視化していくしかありません。

未来の選択肢は多いに越したことはありません。最も未来の選択肢が多いのは、間違いなく、いま、この瞬間です。もしこの瞬間、呼吸を止めれば、いかに空気が私たちにとって不可欠なのかわかるでしょう。しかし私たちは、いまある価値を失う前に、想像力や知恵を駆使して、それらの価値を保護し、敬うように生きるべきです。私たちはいま、政治的に過渡期にあります。そして、もう十分に経済的な発展を遂げました。次に最優先とするものが政治においても、経済においても、精神的な価値であってもそろそろいい頃です。

第六章　人間らしく生きるとは

七つ目の哲学：「心の力」を活かす

「ところで〝私には実際何ができるのでしょうか〟という質問を受ける。答えは簡単であって簡単ではない。各自が自分の心をととのえること、というのがその答えである」[83]

E・F・シューマッハー

これからいったい私たちにはなにができるのでしょうか。これまでふれてきたように、私たち人間は自己のみならず、他について考える力があります。考える力は人格を高めます。そして、人格は社会の質をつくります。モラルコンパス①では「人間としての自己認識の重要性」、②では「命以上に大切なものはないことと、共に生きる本質」を取り上げました。そして①と②を軸に、③と④では「私たち人間の基礎である道徳と物心両面の質を高める原則」について考察し、⑤では「幸福と平和がこれらの価値の土台であること」を示しました。そして、⑥では「一人ひとりの社会の担い手であるという意識が、その土台を強化すること」についてふれました。最後の第六章では、再び「命」

と、そして「心」から、哲学と道徳の重要性について考えていきたいと思います。

1　命につける価値とは

命の尊さに気づく

途上国において多くの人が飲み水もなく死にゆき、先進国において不平等が蔓延（まんえん）する中、資本主義や自由主義のような公平観・平等観・自由観が、私たちが価値とするような社会状況、あるいは人間としての知能や知性を絞った結果であると言い切れるでしょうか。私たちは本当に豊かな生活をしていると言えるでしょうか。本書においては「どの規模で社会や人間としてのあり方を見るべきなのか」を考えてきました。モラルコンパスは、私たちの他の存在に対する認識だけではなく、自己の存在意義を高め、私たち一人ひとりが人間らしさを社会で発揮するための「視座」です。第二の哲学的視座とした命と他の存在は、私たちにとって生きる上で最も価値あるものです。命と他の存在に対する視座、つまり生命観と人間観は、それらを取り扱う人の人間的な性質を示し、私たちの**人格は命や他への取り扱い方に見ることができます。**

私たちは奇跡とも呼べるほどの自然や生き物に囲まれて生きています。そして、私たちもその一部です。大切なことを知るには、なにか特別なことを経験したり、大きな出来事が起きたりする必要はありません。命の大切さを知るには、道端に咲く一輪の花の存在に気づくだけでも十分可能です。共に生きる意味は、普段の生活の中でも十分に感じることができます。私たちはもっと私たちが授かった力を用い、そのような存在と価値に気づくべきです。私たちがそういった価値に気づくことは、逆に私たちが気づかれることでもあります。

私たち人間の強さは、人格に欠けた力の誇示や他を服従させる力ではなく、また人を傷つけたり、痛めつけたり、自分の欲を押し通そうとすることでもありません。自分自身と他の想いを汲み、支え・補い合い、努力できることとです。私たち人間は生きる際の視座を自分の心次第で考え抜き、行動の中で用いることができます。自分の心次第で自分自身を善くできます。私たち人間は自分自身の**想いや欲望を最大化するのではなく、最善化することができる**のです。

現在、あらゆるものが商品化され、売買されています。それは命も例外ではありません。第五章でふれたように、資本主義は資本の増大を基準とした「損得」を価値の最優先事項に添え、なにかしら都合をつけてあらゆる物を商品化し、結果として利潤を達成すれば良しとする価値観の中で機能しています。このようなあり方が目を向ける価値はまず「価格」であり、「価値」ではありません。命そのものや人間に値札をつけることを良しとすれば、私たちは人間として取り戻しがきかないもの、引き返すことができない価値の領域に足を踏み入れてしまいます。人として「生きていくうえで大切なものに値段をつけると、それが腐敗してしまうおそれがあります[84]」。特に命は、失われてしまうと、二度と取り戻すことはできません。

命と人間性は物質主義的な概念なのか

命を商品化できない理由には、次の二つの哲学が大きく関係しています。まず、私たち人間やそこに含まれている生命や人間性は物質主義的な概念ではありません。本質的に命に効率性や個人主義、資本主義はもち込めません。命を商品化できる「もの」と捉えれば、同時に**人間であることの意味を大きく変える**ことになります。そして、生命に対する定義が変わることは、同時に死に対する定義も変えてしまうことを意味します[85]。人間であることや人間性、そして生死に対する定義は、私たちにとっては「人間とはなにか」に付随する究極的な価値です。

また、命は「本質の総体」で、その価値は個別的に捉えられる要素や機能ではなく、「一つの総合的な価値」です。たとえば私たち人間とその体は一体のものですが、人間と体を切り離して考えようとするのが資本主義です。現在では、人間と体のみならず人間と人間性を分けて考える領域にまで市場は及んでいます。このように人間や体、そして人間性を切り離して考えるのは、それらを分ければ分けるほど価格がつけられる「商品」が多くなるからです。命や人間を資本に還元できる「バラバラの物体」として取り扱えば、それらの価値や根本、哲学や科学的事実は無視されます[86]。

命の価値は誰の手によっても変えることなどできないものです。命はあらゆる存在を物質化・私物化し、所有物のように扱えるとする経済資本論や自由主義論ではなく、それらとは全く切り離された価値で、**私たちを私たちたらしめている土台**です。命が市場で売買される価格ある物質に還元される時、私たちは本質を失います。命をそのように解釈する時、私たちは人間性を失い、私たち自身を科学的・経済的な物質のようなものに還元してしまい、徐々に人間ではなくなっていきます。

価値とは人間や人間性そのものを示しますが、価格とは一般的に「等価」と考えるものと、それ自体を引きかえることをその前提とします。私たちにとって命よりも大切なものはありません。命と同等の価値のもの、ましてや価格がつけられるような論理は存在しません。くり返しふれてきたように、命がそのように取り扱われれば、その他の価値などもっと容易く軽視されます。

命そのものや命にかかわるものは、その営みに多くの時間を要するように、市場や資本とは相容れません。資本的な価値は目に見え、わかりやすいので、あたかもなにかしら問題が解決されるかのように見えますが、その解決は**欲にかられた感覚だけのもの**です。生命観のような究極的な価値は資本では養えず、また資本で命や人間の価値を測ることはできません。生き物にとって究極的な価値を価格に置きかえようとすることは、「人間の共有財産を侵して、その一つが自分のものだと主張している」[87]に過ぎません。

生命観は人類共有の価値です。命や人間であることを侵してまで、私的な利益を手に入れることなど、どんな理由をもってしても正当化できません。最も大切な命に価格をつけるような社会は、生命の本質、人間の本質、道徳や原則、そして幸福と平和といった民主社会の本質を、この先ずっと叶えることなどできません。

効率や機能を重視することで、私たちが失うもの

このことはなにも人間に限ったことではありません。動物や植物も、それぞれの個体に一つの命をもつ総合的な価値です。人間中心の資本主義の中で逃げ場のない動物や植物などはもっと容易く効率や損得によって命の価値を機能で測られ[88]、本来の多様な価値を奪われ続けています。私たちは現在、わかっているだけで一九七五年以降、年一千種もの動植物を絶滅に追いやっています。「現在は生物の歴史上かつてない大量絶滅の時代と言われ、原因はほぼ百％人類の行為に起因する」と言われています[89]。私たちは共に暮らす命の集まりの中で、欠かしてはならない価値を失い、本来起こしてはならないことを引き起こしています。気候問題や感染症の問題、さまざまな問題は私たち人間の思考と行動に関連しています。これらの問題は私たち人間が少しも賢明ではないことを物語っています。

豊かな消費生活が豊かな人間らしい生活ではない（Rich Consumer Life ≠ Rich Human Life）ことは、私たちがすでに学びつつあることです。単に生存することが生きる意味や真理を示さないことは、私たちが現代社会の中で悟りつつあることです。なぜならば、真理というのは「命（生）とその他の本質の総体」だからです[90]。簡単に言えば、「真理」とは、命ある限り、私たちが命という最も本質的な価値を手に、本質的な視座に心を寄せ、考えることにより発見する「真実」のことです。

自分自身の外にあることを知るのは難しいことです。しかし私たちは、自分自身の内にあるものを感じることはできます。自分自身の心の内にあるものは、ごまかせばすぐにわかります。偽りの上に

は嘘しか成り立ちません。「人々の心が求める心地よい嘘は、現実を架空の世界に置き換えてしまうパワーをもっています。嘘は不都合な事実を隠すだけではないのです。嘘は、客観的事実だけではなく、道徳や人権への意識も弱体化させます[91]」。私たちは本質を捉え損なうと、命のあり方だけではなく、本質そのものや真実から離れ、私たちとこの世界は虚構や偽善の域を超えることができません。私たちは生きる上で価値を、つまり「真実ということを大切にしなければならない[92]」のです。命はこの世にある多くの価値の中で最も確かな真実です。命とは自然由来の価値であり、命あるすべてのものの中心に位置しています。私たちにとって真実とは、それに従うものであり、それを削っては生きてはいけないものです。つまり私たち人間とは、本質的に大切にすべきことを心から求め、大切にできてこそ、その命を全うできる「私たち」という一つの命をもつ、自然の価値の総体なのです。

2　心の力を活かす

哲学により心の力を養う

　私がアメリカの大学における授業の中で最も難しいと感じたのは「生きる意味」の授業です。人間特有の（もしかしたら他の生き物も私たちが知り得ないだけで多くのことを考えているのかもしれませんが）生への哲学は、生きることの不条理さや生まれたことへの意味の洞察につながります。また、生きることは、命あるすべてのものが必ず死を迎えることを前提としているため、未知の死を前提に生について考えることは、大きな苦痛を伴いがちです。一方、死のみに焦点をあてると、私たちは生の過程を曖昧にできます。いずれにせよ、私たちにとって生も死も自明のことですが、生きることは死を知っていることよりも自明なことです。また生きている時間は有限であることも自明のことです。そして、死は生きているものにとって非常に深い意味をもつこと、これもまた自明のことです。

生きることは誰にとってもなににとっても厳しいものです。しかし私たちは哲学することで、その苦悩を少しずつ打破することができます。哲学は私たちの精神力を鍛え、私たちと社会の結びつきを強くします。私たちはそうすることで必ず人生の次の扉のカギを見つけることができます。人により開けなければならない扉はいくつあるのかわかりません。たくさんの苦悩に直面し、生きることの意味を何度も何度も問うような人生もあるでしょう。私たちは自分自身にとって善いと考えられる解釈を何度も繰り返します。人生において何度も哲学します。そして心を強くします。これまで本書においてふれてきたのは、人間らしさに適う人生を送るために、**私たち人間が、社会全体として、哲学で養われる、強く、豊かな心でもって、なにを克服するか**ということです。そのために必要な哲学的視座として提示したのは次の六つです。

① 人間としての自己認識

② 私たちすべては同じ価値の命をもち、共に生きている
③ 道徳は人間の基礎。私たちが人間として生きる時の最低限の道徳的価値は誠、善、徳
④ 原則の起点は公正
⑤ 幸福と平和な社会環境は人間として生きるためには不可欠
⑥ 私たちの思考と行動は社会に影響を与える。単に生存することが人間として生きることではない。社会の幸福と平和にかかわる意識をもち、政治と経済の価値を再考する

そして最後に、これら六つの哲学的視座を実践するために、私たち人間に必要とされる視座があります。これら六つの視座を実現し、社会にある問題や私たちの利己的な欲望を克服するのは、私たちの「心の力」です。ここで、最後の哲学的視座です。

モラルコンパス 7 「心に意識を向ける・心の力を活かす」

私たちの心は一つの塊のように捉えられますが、その中身は「一つにまとまってはおらず、いくつにも分裂し、同時に複数の激しい動きが起きている」[93]のです。また一人の人間をとっても、私たちはさまざまなアイデンティティを抱え、複合的に生きています。だから私たちは、**意識して心を整え、意識をどこに向けるのかを考える必要**があります。心そのものに意識を向け、自身の心に向き合い、

その力を鍛え、発揮できることは**人間としての自分自身の善さや豊かさを信じること**です。そして、相互に心の力を働かせ、活かせることは、私たちが人間として生まれてきた大きな意味の一つです。

心の力がなければ、考えること、哲学することなどできません。知性と感性は相対するものではなく、どちらも私たちの根源的な特質の内にあります。どのような生きる苦悩の中にあっても、ほんの少し周りを見渡しさえすれば、脈々と受け継がれる命の中に必ず「生」への答えを見つけることができます。なぜならば、この世に生を受けてから自分自身と共にずっと人生を歩み、その心に向き合ってきた私たちが人生の分岐点で問うのは、「なにを手に入れたのか」ではなく、「どんな人間だったのか」や「どんな風に生きたのか（生きていきたいのか）」という他との関係性の中にある哲学と道徳だからです。私たちすべては共に生きる存在で、その命がたとえ失われたとしても（必ず誰もが命を失います）、命は連綿とつながり、歴史を積み重ね、価値や生命観を引き継いでいきます。私たちが存在したこと、成し遂げたことや果たしたことを引き継ぎ、それらを糧に生きる人たちがいます。私たちが蒔いた種が芽吹く時がきます。私たちは、私たち自身にどのような「永遠の印（人格）」を刻むのかを心に留めながら、生きていかなければなりません。そうすることにより、生きる苦悩は必ず和らぎます。なぜならば、生きるために私たち自身がなにを成し遂げ、なにを行えばいいのかを哲学と道徳が必ず教えてくれるからです。常に他と社会は私たちにカギを与えてくれます。生きる力を与えてくれます。そして、一人ひとりがまた、力を与えられる存在でもあります。そのカギをいかにつかむかは、私たちが日々鍛えていく、「心の力」です。そして、その力をより大きくしてくれるのは、他の存在であり、私たちのもつ最大の力、感じ、考える力、哲学です。

哲学が差し出す最も大きな価値

最後に、私たち人間にとって哲学が差し出す、最も大きな価値はなんなのでしょうか。哲学する時、私たちは自己に真摯に向き合います。他の命に想いを馳せたりもします。そして、誰かと共に生きること、そのために自らが善くなろうと模索し、そこで見出した価値を実践しようとします。そのすべてには、あるものが存在しています。それは私たちを含めた命ある存在が生を受けた瞬間に授かったものかもしれません。私自身は哲学する時にいつも、ある存在があるがゆえに、私たち人間は哲学を必要とし、また哲学に必要とされていると感じることがあります。その存在とは「愛」です。

これまでふれてきたように、幸福な人生とは、**愛おしい命との出会いに気づき、自分自身も相手にとって出会う側として生きるもの**です。私たち人間は、誰かあるいはなにかを愛する時、善くなろうとします。哲学や道徳が私たちに差し出す最も大きな価値は、この愛です。愛とは、命をもつものの本質であり、私たちすべてにとって、必要なものです。もしかすると、哲学は私たち人間が愛をもつがゆえに、長い歴史の中で私たちと共にあり続けているのかもしれないと、私はいつも考えています。そして愛の存在は、私たちが自己や他の問題と真摯に向き合う姿や瞬間の中に、いつも見てとれます。愛は目に見えやすいものを信じやすい私たち現代人にとって、最も大きな見えない力なのかもしれません。

時代がそうだからといって、私たちの人間らしい側面を、それに合わせる必要はありません。善くないと感じることに自分自身の人間性を投げ出す必要はありません。欲望が自分自身を飲み込むのではなく、人間としての自分を、そして人生を、私たちがどう感じるか、そこに人間として生まれた人生の意味があります。仮に私たちの人間らしさが時代によって奪われてしまいそうな時、私たちは立ち止まり、深く考えればいいのです。私たち人間は、人間らしさをもって物事の価値を捉えようとすれば、難しいことをやさしく、やさしいことを深く捉えることができます。現代社会は、人間が対立しているというよりも、私たちの中に人間としての思いやりや寛容、愛が欠けている、ただそれだけです。

哲学は個人である自分と人間である自分との葛藤でもあります。自由や権利と闘っているように見えて、実は利己的な自分との闘いです。私たちは自分自身を重んじ過ぎると人間としての自分を放棄しなければならなくなり、現代のありようは、私たちがそれを良しとしてきた結果です。**人間であることは個性や好み、価値観を前に他と対立することではなく、自分の心に向き合うこと**であると、私たちは受け入れなければなりません。私たちがまずすべきことは、自分自身の心を直視することです。物事は光が当たれば見ることができます。しかし、物事にはそうして見えるものだけではなく、心に光が当たれば見えるものもあるのです。

私たちは失望が押し寄せる社会の中でも、愛情や信頼が人間にとって最も大きな幸福感を生むこと、そして愛情は心の幸福を叶え、命のための絶対的な価値である平和を希求することを知っています。それが人間として大切なことだと知っています。それは哲学的思索と道徳の実践が促してくれます。なぜならば、**哲学とは、いわば私たちの中に命と愛を探す作業だからです。そして道徳とは、命でもって愛を表現することだからです。**社会に存在するすべては互いにかかわり合って生きています。関連し合う存在という生き物としての立場で、生きることやさまざまな価値を哲学により解釈し、そして道徳により実践することは、私たちが命をもって生まれてきた意味の一つです。

私たち人間と他の生き物の本質には一致する部分があります。それは生き物にも愛や思いやりが備わっている証でもあります。およそ命あるものには愛が備わっている、私はそう思っています。私たち人間や生き物には愛によってのみ到達する、調和や美質があるのだと。私たち人間が生きているように、他の動物も生きています。花も生きています。木も土も、また生きています。命をもって生まれたすべての存在の幸福を願ってやみません。そして、誰もが搾取されることも、することもなく、平和な心の内に存在でき、授かった命と愛を活かせる社会になることを強く望みます。本書がその扉を開けるカギの一つになれば、とてもうれしく思います。

おわりに〜枝葉

「全てのものにおいて無限を、そして極小において極大の正確な表出を認めないとき、ひとは自然の豊さや美しさに不当にも制限を与えているのである[94]」

ライプニッツ

私が人生で最も苦悩していた頃、生きている意味や存在意義だけではなく、これからどんな自分で生きていけばいいのだろうと、あり方を毎日模索していました。答えが見えず、ただ時間ばかりが過ぎる中で、毎朝、自宅近くの公園の芝生に座りながら、生きることや生き方の答えをなんとか見つけ出そうとしていたように思います。ただ苦悩を解消するだけではなく、私は哲学によって苦悩を打破することを求めていました。

公園に通って半年ほど経った頃、ふと、風が吹きました。街の喧騒の中で、一つの大木が、いま思えば、私にそっと話しかけてくれたのだと思います。風に誘われ、その大木を見上げた私の目に、そこに生い茂る新緑の枝葉が留まりました。他の枝を決して邪魔せずに、それぞれに伸びる枝。互いに生き生きと茂る葉たち。一つの大木に何百、何千とある枝葉。こうして生き物が命をもち、なおかつ、他の存在を邪魔することもなく、寄り添いながら生きる。言いかえれば、共に生きていることに、私はこれ以上ない感動を覚えました。私自身が心の枠組みを自己の内にのみ設定し、悩み続けていること、それは私たち人間にとっては大切なことですが、社会に生きる時、つまり人間として人生を生き抜く時、答えをくれないことを知りました。圧倒的に生きる枝葉から、本当に生きることを、私は見せつけられた気がしました。そこに、自然に、そして善く生きる姿を見たからです。生き物の品格を感じたからです。

　私が生きることをこう解釈した時が、私にとって人生で大切な哲学を一つ手にした瞬間でした。それまでの人生でそのような光景に私は何度も出合っていたはずでした。接する人たちや命は常にヒントを与えていたはずでした。ただ、私が気づけずにいただけでした。大切なことに気づく心の力が、私に欠けていたのでしょう。それはとても身近なところにいつもあり、私の心が気づくのをそっと待ってくれていたように、いまでは感じています。

　植物も、動物も、みんな命をつなぐためだけではなく、できる限りの力を出し、最善の状態を模索しながら生きています。大木の枝葉でさえも一ヵ所に偏り、その重みによって倒れることはありません。連綿と、黙々と、何十年も、何百年も、何千年も生き続けています。種子は風に身をまかせ、ある場所にとどまると自らの一生をその場所で過ごします。[95] 木々は強い風を受けても、黙々とそれを受け止めなければなりません。その事実が、私たち人間にとっても命を授かった意味であり、存在意義の根幹です。私たち人間はどこにでも行ける特徴や、強い風を避ける能力をもちます。私たちの使命は、それをどう使うか、なんのために使うかです。そのことを考えることが、それらの特徴を授かった私たちにとって、人間として本当に大切なことなのです。

共にこの世に生きる私たち人間も、自らに対してだけではなく、自然と同じように、善く生きることで、他や社会に対して果たすべき役割があります。私たちは少なくともこのことを意識し、毎日を生きていかなければなりません。大木が倒れると、その営みから酸素を必要とする私たちは生きていけません。そして、大木そのものも朽ちてしまいます。それが命ある存在の価値基盤です。そこから、さらに人間として生きるには、想いを表現したり、知能を正しく用いたり、命全体の価値を高め、その維持に貢献できるように生きるべきで、こうして多くの生命が継続していることは、単なる努力のようなものではなく、命を懸けた営みなのだということを、私たちはもっと意識しなければなりません。そしてそれこそが、生きていく上で自然な生き方であることを、私たちは受け入れる必要があるのです。

一人ひとりが懸命に人生を考え、毎日を生きるように、周りにいる人たちや他の存在も、それぞれの環境の中で懸命に毎日を生きています。私たちの目には見えない心と力が常に働いています。私たち側の視点でのみ、物事を考えてはいけません。一方の視点から物事を見ても本当の価値や真実を見出すことなど、絶対にできません。そして、たとえば歴史や過去が自分の思うまま、つまり自由に解釈できないように、価値などの「見えないもの」は自己都合では解釈できず、より慎重に、大切に取り扱わなければなりません。

私たち人間は自己の能力や知性を用いて、もっとこのような命の営みとつながりを理解すべきではないかということが、そしてそれは哲学することにより可能ではないかという想いが、本書を執筆するきっかけになりました。本書を通して、哲学による解釈と、それによって得られた価値である道徳の実践の重要性にふれました。哲学と道徳は人間相互のものです。他の介在を前提とし、私たち人間の価値や行動の善さを最大限引き出す可能性が高いものです。私が大木の枝葉から学んだ哲学は、命がつながり合って生きていることと、生きる力と生命そのものの尊さです。それによって私たちが受けている恩恵の大きさです。雨や風、どんな日でも命や他の幸せ（ひいては自己の幸福につながる幸せ）のために、生きることそのものを実践し続けていることです。「世界と自然に対面することによってはじめて、人間は真に思考できるようになる」[96]、私はこの言葉が好きです。私たち人間はその心次第で、多くの大切なことにいつでも気づくことができます。私たちは目に見えない価値を重んじ、その価値を捉えるための心の力を養い、同時に目に見えるものに対しては、その価値を熟慮していくしかありません。

生きることは誰にとっても、なににとっても非常に大変なことです。しかし、その分、生きることは深いものです。さまざまな出来事や人とのかかわりにより私たちは自信を失ったり、心を傷つけます。それをどのようにして癒やすのか、その時に自分自身がどのような心をもち、生き続けるためになにを価値とするのか、それは私たちの心次第です。誰かを変えることではなく、私たち自身はそれぞれに変わることができます。それを可能とするのが、哲学です。私たちは命を授かったならば、できる限り生き続けなければなりません。生きる上で哲学は私たちにとって最高の友です。だっていつでも愛でもって私たちを迎えてくれるのですから。

私たちは後戻りできません。そして、未来という先に行くことはできません。いまを、そしてこれからをどう正し、善くするかは私たちにかかっています。どんな人間になりたいのか、いまをどう生きていきたいのか、そしてどのような社会を築きたいのか、なにを実感しながら生きていくのか。そのためにできることを、それぞれの立場や個性、才能の中で手を取り合い、考えていくことができたら、私たち一人ひとりの生きる意義や人間の力は、社会の中でより大きくその枝葉を伸ばすのではないかと思っています。

最後に、人生というものは時には非常に困難に満ち、厳しい選択を必要としますが、私たち一人ひとりが命と人格の真価に気づき、その知能だけではなく、知性をいかんなく発揮できる「心の力」を活かす人生を送ることを願ってやみません。哲学と道徳は私たちの知性であり、知性を働かせ、愛を育てるためのものです。私たちがすべきことは、人間としての私たちが心に自然にもつもの、自分の心にあるものをほんの少し振り返ることと、共に生きるためにしなければならないと思われることをやっていくだけです。その語源で「知を愛する」とされる哲学は、もしかしたら知があるとされる私たちが、人間であることを愛することかもしれません。

私たち人間には強さも、また弱さもあります。しかし、私たちは他とのかかわりの中で、心の力を生きる力にできます。私たちの叡知の結晶である哲学と道徳が、つまり愛が、私たちの力の源になること、それが私たちの社会の大多数の生命を幸福に、そして平和にすると、私は心から信じています。

二〇二一年七月　深緑輝く陽の光を浴びながら

椰　琴葉

ワーク

本書でふれてきた哲学的視座を振り返りながら、
あなたの「モラルコンパス」をつくってみましょう！

モラルコンパス

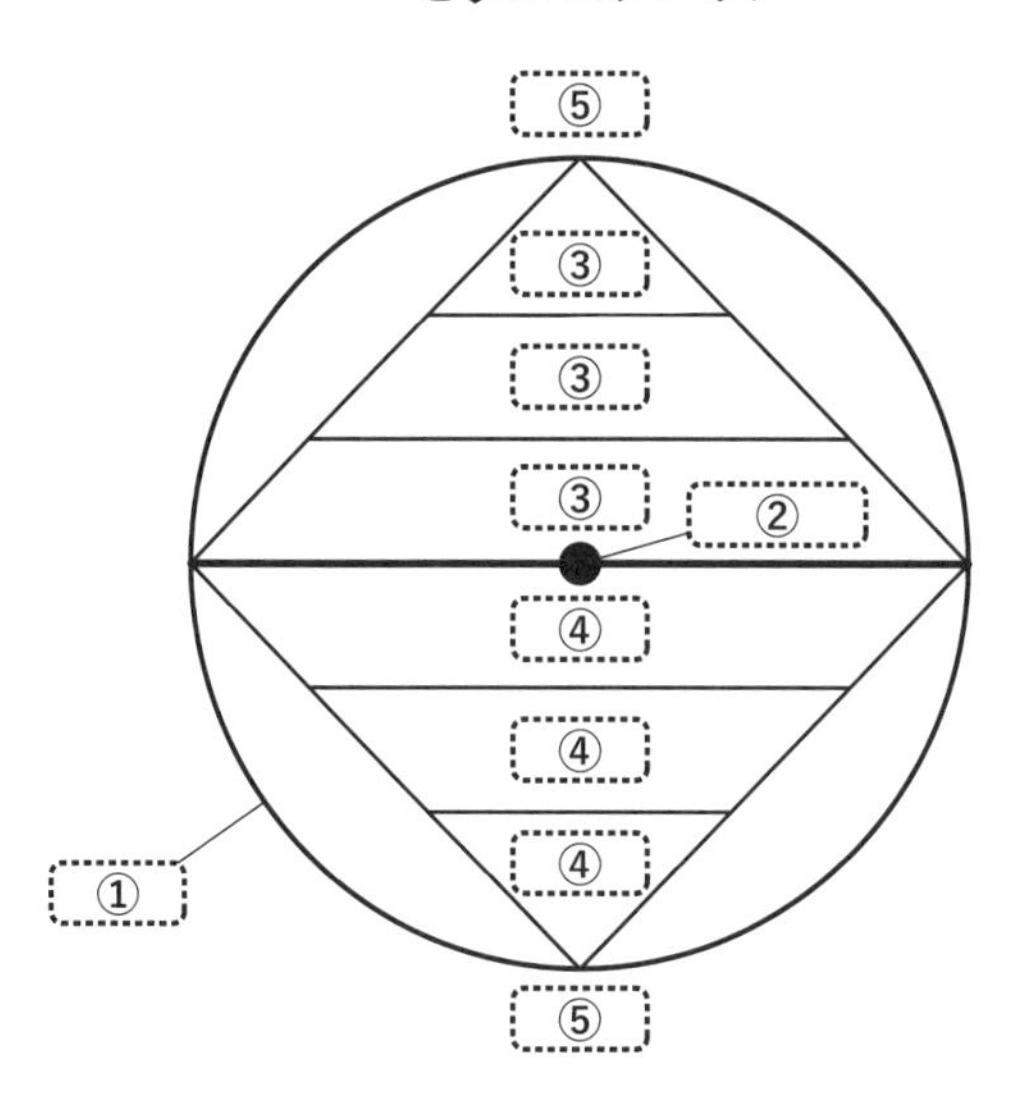

①第１の視座　立場：自己実現や価値観を叶える場・帰属の場
②第２の視座　中心：最も大切だと考える価値
③第３の視座　道徳：人格を高めると考える価値
④第４の視座　原則：人間として生きる上で重要だと考える価値
⑤第５の視座　土台：必要な環境または目標

［解説］
　このコンパスは置かれている立場（枠組み）を変えたり、土台を目標に変えることにより、さまざまな場面に応用できます。
　たとえば、職場や学校における自らの立場やチームのあり方、家族の中での役割、自分自身が目標を立て、なにかに挑戦する際にも用いることができます。

脚注

（1）参考授業一覧：哲学史に関する記述・Jay M. Harris *Introduction to the Classics of Western Thought I*（二〇一八年秋期受講）、人生の意味・意義に関する記述・Mathias Risse *The Meaning of Life*（二〇一八年春期受講）、道徳ならびに政治に関する記述・Michael J. Sandel *JUSTICE*（二〇一七年春期受講）、原則ならびに経済に関する記述・Joanne Baldine *Philosophical Problems of Economic Justice*（二〇一七年秋期受講）。
（2）デイヴィッド・ブルックス『あなたの人生の意味（上）』夏目大訳　ハヤカワノンフィクション文庫　二〇一八年、二四頁。
（3）レオナルド・ダ・ヴィンチ『レオナルド・ダ・ヴィンチの手記（下）』杉浦明平訳　岩波文庫、一九五八年、一三頁。
（4）佐藤美由紀『世界でもっとも貧しい大統領　ホセ・ムヒカ　日本人へ贈る言葉』双葉社　二〇一六年、八七頁。
（5）和辻哲郎『人間の学としての倫理学』岩波文庫　二〇〇七年、一八〜二九頁を参照。
（6）特定非営利活動法人ジャパンハート創設者　吉岡秀人医師の言葉「在宅医療カレッジ36　途上国医療から考える、いまの日本に求められること」シンポジウム資料より　二〇一九年五月三十日。一つのことを成し遂げるのに、たくさんの命や人の想いが必要とし、「意志とは、他とのつながりの中で、自らができることを発見し、やっていくこと」とあります。
（7）マルクス・ガブリエル、マイケル・ハート、ポール・メイソン『資本主義の終わりか、人間の終焉か？　未来への大分岐』斎藤幸平編　集英社新書　二〇一九年、一五三〜一五四頁。「価値という問題は、私たちが人間であるということに結びついています。（中略）相手を非人間化すれば、相手に対して、差別や排除など攻撃的な態度を簡単にとることができる」。

(8) 社会における自己の位置づけに関しては、マイケル・サンデル『これからの「正義」の話をしよう　いまを生き延びるための哲学』鬼澤忍訳　ハヤカワ文庫　二〇一一年、三四六～三五一頁を参照。

(9) マルクス・ガブリエル『世界史の針が巻き戻るとき「新しい実在論」は世界をどう見ているか』大野和基訳　PHP新書　二〇二〇年、五六頁。

(10) 丸山俊一『マルクス・ガブリエル　欲望の時代を哲学する』NHK出版新書　二〇一八年、一七四頁。私たちは第一次世界大戦などの過ちを二度と繰り返さないために、「けっして〝人間とは何か〟に疑いを持ってはいけない」としています。過去の過ちは、人間社会による他者への「非人間化」が原因であるとし、私たちは人間とは何かに対して「確固とした概念が必要とされている」としています。

(11) 生きがいに関しては、神谷美恵子『生きがいについて』みすず書房　一九六六年、「生きがいを求める心」四〇～五八頁を参照。

(12) 神谷　前掲　八四～一〇〇頁を参照。

(13)「いのちはいのち」中村哲氏インタビュー記事『ライフアシスト』第9号　二〇一三年一月。

(14) 古代ギリシアの学問区分に関しては、フリードリヒ・カール・アルベルト・シュヴェーグラー『西洋哲学史(上)』谷川徹三、松村一人訳　岩波文庫　一九五八年改訂版、二四一頁／國嶋一則編『西洋哲学の歴史』公論社　一九八八年、二九～三〇頁／大口邦雄『リベラル・アーツとは何か　その歴史的系譜』さんこう社　二〇一四年、一一六頁を参照。

(15) 神谷　前掲　四〇～五八頁を参照。「人間はみな自分の生きていることに意味や価値を感じたい欲求がある（五七頁）」。私たち人間にとって生きがいを求める心は「精神的存在としての人間の欲求（四一頁）」であり、「自己の内部にひそんでいる可能性を発揮して自己というものを伸ばしたいという欲求（五四頁）」や「意味づけ、価値づけという心のはたらきは（中略）たえず自己の生の意味をあらゆる体験のなかで自問自答し、たしかめている（五八頁）」。

（16）Mathias Risse講義・第五講～八講より。

（17）伊藤邦武、山内志朗、中島隆博、納富信留編『世界哲学史1　古代I　知恵から愛知へ』ちくま新書　二〇二〇年、四〇頁。

（18）哲学では一般的に「自然本性」が「人間らしさ」を意味します。本書では「本性」を「人間が人間であるための、もしくは、生物学的なヒトが社会的な存在としての人間になるための条件」ではなく「人間が生まれながらにもっている特質や属性を人間の本性とする見解をとり、特に人間の自己保存に対する欲求」という利己的な意味・欲望の意味で用います（本性に対する解説については、澤佳成「人間の本性に関する考察」『人間文化研究所紀要』第3号東京家政大学人間文化研究所出版　二〇〇九年を参照）。

（19）Michael J. Sandel 講義での言葉を抜粋。

（20）神谷　前掲　五八頁。「あるひとの持つ価値体系というものは、そのひとの持つ欲求の状態に関係する。（中略）意味づけ、価値づけという心のはたらきは、知覚のみならず感情、思考、学習、記憶その他、人間のあらゆる生体験のなかにふくまれているのではないかと思われる」。

（21）WWF *Living Planet Report 2018*を参照。

（22）ガブリエル　前掲　一一四頁。

（23）竹田青嗣『哲学とは何か』ＮＨＫブックス　二〇二〇年、二六七頁。「社会的な価値理念の多様性は、単に人間の価値観の多様性から生じるというだけでは十分ではない。社会的な価値理念は、大昔からいくつかの典型的な範例をもっている。〈万人の救済〉〈万人の幸福〉〈絶対平等〉〈絶対自由〉〈世界の道徳的完成〉

等々」。

(24) ブルックス　前掲　下　二四〇頁。「道徳観は時代とともに変わるが、それは、対応すべき問題が変化したことへの社会の反応である」。

(25) 西田幾多郎『善の研究』小坂国継注　講談社学術文庫　二〇〇六年、三六九頁。

(26) 不平等や格差に関しては、トマ・ピケティ『21世紀の資本』山形浩生、守岡桜、森本正史訳　みすず書房、二〇一四年を参照。「国民的な能力主義モデルの美徳をみんな口にはするが、それはめったに現実に根ざしていない。そうした物言いの狙いは、既存の格差を正当化しつつ、現状の制度の、ときにあからさまなほどの失敗を黙殺することだったりする（五〇六〜五〇七頁）」。

(27) シュヴェーグラー　前掲　二三〇頁。「哲学は本質的に実践的な目的をもっており、かれ（古代ギリシア哲学者エピクロス）は結局それを、どうしたら幸福な生活に到達できるかを教える倫理学に帰着させている」。

(28) フォイエルバッハ『フォイエルバッハ選集　人間論集』篠田一人、中桐大有、田中英三編　法律文化社　一九六八年、四六頁。

(29) 宮川敬之『和辻哲郎―人格から間柄へ』講談社学術文庫　二〇一五年、一九三頁。

(30) ブルックス　前掲　上　三九頁。

(31) ブルックス　前掲　下　一三一頁。

(32) フォイエルバッハ『フォイエルバッハ選集　哲学論集』篠田一人、中桐大有、田中英三編　法律文化社　一九七〇年、二六四頁。「わたしの本質であるもの、それがわたしの存在である。魚は水のなかにいる。あなたとしては魚の本質をこういった存在（水のなかにいること）から引き離すことはできない」。

(33) 「誠」に関しては、金谷治訳注『大学・中庸』岩波文庫　一九九八年、三一〜五〇頁を参照。本書における解釈については「大学編」を参照。

(34) 人としてできることとは「していいか・悪いか」という意味ではありません。たとえば、他の価値を損ねたり、人を殺めたりすることは、本来「人としてできないこと」です。一般的に、これらは善の反対「悪」とされます。

(35) アラスデア・マッキンタイア『美徳なき時代』篠﨑榮訳　みすず書房　一九九三年、二六九頁。善き生と諸徳の関係について参照。

(36) ルネ・デカルト『方法序説』谷川多佳子訳　岩波文庫　一九九七年、三五頁。

(37) シュヴェーグラーは前掲　七八頁の中で神話に対してこう言及します。

(38) 小島義郎、岸暁、増田秀夫、高野嘉明編『英語語義語源辞典』三省堂　二〇〇四年、一九三頁。

(39) C. T. Onions ed. (1966) *The Oxford Dictionary of English Etymology* (Oxford University Press) p.163

(40) William J. Bennett (1995) *The Moral Compass: Stories for a Life's Journey* (Simon & Schuster) において、ギリシャ語の人格には「永遠の印（charakter）」という意味があるとされています。本書においては「魂に刻まれた印（kharaktēr: imprint on the soul）」という意味で用います。翻訳書　ウィリアム・J・ベネット編著『モラル・コンパス～こころの羅針盤～』柴田裕之訳　実務教育出版　一九九七年、iii頁。

(41) ブルックス　前掲　上　四七頁、人格が磨かれた人は「必ず自分を大切にする気持ちを持っている。（中略）大事なのは、今の自分が過去の自分より良くなっていると思えるかどうかである。また、自分を向上させようと試行錯誤した時間や、誘惑に見事に打ち克った経験も貴重な財産になる。自分のことを道徳的に信頼できると思えるか否かが大切だ」。

(42) トニー・ジャット『荒廃する世界のなかで～これからの「社会民主主義」を語ろう』森本醇訳　みすず書房　二〇一〇年、一六五頁。

(43) ヴィクトル・ユゴー『エルナニ』稲垣直樹訳　岩波文庫　二〇〇九年、一二頁。芸術における自由について言及する中で「自由というものには、それに固有の賢明さが備わり、また、賢明さなくしては完全なものとはならないものである。」とし、自由には原則（内的な道理）が共通として見られなければならない、としています。

（44）ブルックス　前掲　下　二六二頁。

（45）ブルックス　前掲　上　三一頁。

（46）「スポーツ観戦」の図解は *Advancing Equity and Inclusion: A Guide for Municipalities* City for All Women Initiative (CAWI), Ottawa より引用し、筆者が考察の必要上、図解をアレンジしています。

（47）フォイエルバッハ　前掲『フォイエルバッハ選集　人間論集』二九九〜三〇〇頁。「対立的に人為的につくられた差異に対してのみ、平等が強調されるべきである」。

（48）サンデル　前掲　二四四頁。

（49）シュヴェーグラー　前掲　一六一頁。ジョン・ロールズの言葉。

（50）性別による不自由・不平等に関しては国連広報センター公式ホームページなどを参照。

（51）Kai Nielsen "Radical Egalitarian Justice: Justice as Equality" *Social Theory and Practice* vol. 5, no. 2, 1979, pp. 209-226, Florida State University Department of Philosophy「真の不自由さとは公平と平等という二つの価値を失った時に最たるものになる」Joanne Baldine 講義・第九講より。

（52）岩谷十郎「デジタルで紡ぐ福沢諭吉の法のことば―権利・権理・通義―」『Media Net』No.15　二〇〇八年、三九頁。

（53）フォイエルバッハ　前掲　二九九頁。

（54）フォイエルバッハ　前掲　六一頁。

（55）ハンナ・アレント『責任と判断』ジェローム・コーン編、中山元訳　ちくま学芸文庫　二〇一六年、二一三頁。
(56)ブルックス　前掲　上　二七三頁。
(57)他者を非人間化することによって引き起こされるさまざまな懸念に関しては、ガブリエル、ハート、メイソン　前掲　一五二～一六八頁ならびに第二部第四章を参照。ガブリエル　前掲　六八～九九頁を参照。
(58)「新型コロナウイルスは戦争ではありません―フランスの哲学者が語る伝染病と生」フランスの哲学者クレール・マランインタビュー記事。クーリエ・ジャポン／ル・モンド紙面　二〇二〇年四月八日、参照。
(59)文明の発展には知徳の発展が重要であるという考え方に関しては、福沢諭吉『現代語訳　文明論之概略』齋藤孝訳　ちくま文庫　二〇一三年、七八頁ならびに一〇二頁／福沢諭吉『現代語訳　学問のすすめ』檜谷昭彦訳・解説　知的生きかた文庫　三笠書房　二〇一〇年「文明とは、人間の知識と道徳、つまり教養とモラルを高め、人間がそれぞれ独立した一個の人格を所有し、社会に交わり、他を侵すことなく他からも害されず、各人が自己の権利を確立して、社会の安定と繁栄をもたらすこと（一〇一頁）」を参照。
(60)福沢　前掲『現代語訳　学問のすすめ』　九七頁。
(61)ジャット　前掲　二一七頁。
(62)アンドリュー・キンブレル『生命に部分はない』福岡伸一訳　講談社現代新書　二〇一七年、一一三頁。
(63)マイケル・サンデル『公共哲学　政治における道徳を考える』鬼澤忍訳　ちくま学芸文庫　二〇一一年、二六六頁、ジョージ・ケイティブの言葉。
(64)プラトン『国家（上）』藤沢令夫訳　岩波文庫　二〇〇八年改訂版、四五二頁。哲人王思想については『国家（下）』第6巻を参照。
(65)マッキンタイア　前掲　一七三頁。有徳な市民についての説明において「人間として卓越するのに、市民としての卓越性を含まないような仕方はない」とし、徳の概念は政治的な概念であるとしています。

(66) トマス・ペイン『人間の権利』西川正身訳　岩波文庫　一九七一年、七八頁。
(67) サンデル　前掲　二九頁。「民主主義のために努力することは人類の進歩のために努力することと切り離せない」ブランダイズの言葉。
(68) ピケティ　前掲　四五四頁。「民主的透明性のためにそうした情報（経済において本来担うべき役割を果たすような報告書）は必要なのだ。世界的な富の分配について信頼できる情報がなければ、なんだって主張できてしまうし、どんな妄想話を煽ることだってできる」。
(69) クーリエ・ジャポン　前掲　参照。
(70) エマニュエル・トッド　朝日新聞　インタビューオピニオン　二〇二〇年五月二十三日。今回のコロナ感染症によって起こった問題が「戦争などではなく医療費削減や新自由主義経済によるもの」とこれまでの政策の結果の「失敗」であると論じています。また感染症問題は私たち人間による森林開発などが要因の一部であることも研究により示されています。森林破壊に関する感染症の問題に関しては、毎日新聞「シリーズ疫病と人間」二〇二〇年四月二十八日ならび二〇二〇年七月二十五日などを参照。
(71)「第一九八回国会　参議院　内閣委員会　第七号」会議録　二〇一九年四月九日　国会会議録検索システムより検索可。
(72) マーティン・ウルフ　日本経済新聞　FINANCIAL TIMES Opinion　二〇一七年十二月二十八日。北米・西欧での一九八〇～二〇一六年までの統計による経済成長率と国民全体の経済福祉改善度について「あまり関係なく、米国においてはほぼ無関係」と論じています。
(73) 個人の能力と社会における評価に対する考え方に関しては、マイケル・サンデル『それをお金で買いますか市場主義の限界』鬼澤忍訳　ハヤカワ文庫　二〇一四年、六八～一三五頁。「第2章インセンティブ」を参照。

(74) キンブレル　前掲　五五四頁。
(75) ジャット　前掲　五二頁。
(76) 竹田　前掲　四一頁。「人間の原始的な自然状態では広汎な戦争はなかった」とし、「たしかに農耕や定住以前の共同体では食料備蓄が存在しないために、まだ共同体間の戦争はない」。
(77) 平和に関する市場の役割については、フィリップ・ジェイムズ・ハミルトン・グリァスン『沈黙交易　異文化接触の原初的メカニズム序説』中村勝訳・解説　ハーベスト社　一九九七年、一〇四頁ならびに第二章第三二項～第三四項、第四章第五三項などを参照。
(78) ジャック・アタリ『新世界秩序　21世紀の〝帝国の攻防〟と〝世界統治〟』山本規雄訳　作品社　二〇一八年、八五頁。「商業空間を拡張するためには平和が必要」と十四世紀のフィレンツェではすでに悟られていたとされています。
(79) サンデル　前掲　二四頁。
(80) ピケティ　前掲　五頁。
(81) 道徳的な経済のあり方に関しては、ガブリエル　前掲　一三五～一三六頁／エルンスト・フリードリッヒ・シューマッハー『スモール　イズ　ビューティフル　人間中心の経済学』小島慶三、酒井懋訳　講談社学術文庫　一九八六年、第二部第五章「人間の顔をもった技術」などを参照。
(82) 廣川洋一『ソクラテス以前の哲学者』講談社学術文庫　一九九七年、三三四頁。古代ギリシア哲学者デモクリトスの言葉。
(83) シューマッハー　前掲　三八五頁。
(84) サンデル　前掲　二二頁。
(85) キンブレル　前掲　八三～八八頁。「死の再定義」を参照。

（86）市場原理の中で人間を取り扱うことに関しては、キンブレル　前掲「20貪欲主義」などを参照。
（87）キンブレル　前掲　三九四頁。倫理問題専門家トーマス・マレーの言葉。
（88）市場原理の中での動物の取り扱い方に関しては、キンブレル　前掲　三二八〜三五三頁、四四五頁〜四五五頁「13機械化された動物」ならびに「〈動物機械〉と魂の死」を参照。
（89）WWF *Living Planet Report 2018*などを参照。
（90）フォイエルバッハ　前掲『フォイエルバッハ選集　哲学論集』三〇〇頁。「真理というのは人間の生と本質との総体」。
（91）ガブリエル、ハート、メイソン　前掲　一五五頁。ハンナ・アレントの言葉。
（92）プラトン　前掲　上　二〇三頁。「真の哲学者とは真実を観ることを愛する人たち（四五八頁）」。
（93）ブルックス　前掲　下　二三四頁。
（94）フォイエルバッハ　前掲『フォイエルバッハ選集　人間論集』二六六頁。ライプニッツの言葉。
（95）植物の哲学を説いた、エマヌエーレ・コッチャ『植物の生の哲学　混合の形而上学』嶋崎正樹訳、山内志朗解説　勁草書房　二〇一九年、五〜七頁を参照。
（96）コッチャ　前掲　二五頁。

●トーマス・ペイン『コモン・センス　他三篇』小松春雄訳　岩波文庫　1976年
●トマス・ネーゲル『コウモリであるとはどのようなことか』永井均訳　勁草書房　1989年
●夏目漱石『私の個人主義』講談社学術文庫　1978年
●ブレーズ・パスカル『パンセ』由木康訳　白水社　1990年
●ハンナ・アレント『人間の条件』志水速雄訳　ちくま学芸文庫　1994年
●ピーター・シンガー『私たちはどう生きるべきか　私益の時代の倫理』山内友三郎訳　法律文化社　1995年
●ルートヴィヒ・アンドレアス・フォイエルバッハ『将来の哲学の根本命題　他二篇』松村一人、和田楽訳　岩波文庫　1967年
●福沢諭吉『福沢諭吉著作集　第1巻』マリオン・ソシエ、西川俊作編　慶應義塾大学出版会　2002年
●ペーター・ヴォールレーベン『樹木たちの知られざる生活　森林管理官が聴いた森の声』長谷川圭訳 ハヤカワノンフィクション文庫　2018年
●トマス・ホッブズ『リヴァイアサン（1）』角田安正訳　光文社古典新訳文庫　2014年
●マイケル・サンデル『ハーバード白熱教室講義録＋東大特別授業（上）（下）』NHK「ハーバード白熱教室」制作チーム、小林正弥、杉田晶子訳　ハヤカワ文庫　2012年
●ジュゼッペ・マッツィーニ『人間の義務について』齋藤ゆかり訳　岩波文庫　2010年
●ユヴァル・ノア・ハラリ『サピエンス全史　文明の構造と人間の幸福（上）（下）』柴田裕之訳　河出書房新社　2016年
●Thomas Aquinas, *St. Thomas Aquinas on Politics and Ethics* Translated and edited by Paul E. Sigmund (1987) W. W. Norton
●Augustine of Hippo, *The City of God* Translated by Marcus Dods (2009) Hendrickson Publishers
●E. D. Klemke, *The Meaning of Life: A Reader* (3rd ed. 2007) Oxford University Press
●John Dewey, "The Need for Recovery of Philosophy" (1917) John Dewey: *The Middle Works, 1899-1924 volume 10 1916-1917* edited by Joann Boydston (1980) Southern Illinois University Press
●John Rawls, *A Theory of Justice* (2nd ed. 1999) Belknap Press
●Kai Nielsen, *Equality and Liberty: A Defense of Radical Egalitarianism* (1985) Rowman & Littlefield
●Philippe van Parijs, *Real Freedom for All: What (If Anything) Can Justify Capitalism?* (1995) Oxford University Press
●Jean-Jackques Rousseau, *The Basic Political Writings* Translated and edited by Donald A. Cress (2nd ed. 2012) Hackett Publishing
●Thomas Nagel, *What Does It All Mean? A Very Short Introduction to Philosophy* (new ed. 2004) Oxford University Press

[論文・新聞記事・シンポジウムなど]

●岩井克人「時代の節目に考える①日本の資本主義再興の時」日本経済新聞　経済教室　2018年1月4日
●Thomas Nagel, "The Absurd" *The Journal of Philosophy* (1971) vol. 68, no. 20, pp. 716-727

[語義参照辞書]

●新村出編『広辞苑第二版』岩波書店　1976年補訂版
●寺澤芳雄『英語語源辞典〈縮刷版〉』研究社　1999年
●飛田良文『哲学字彙　訳語総索引』笠間書院　1979年
●*Oxford Essential German Dictionary* (2010) Oxford University Press

参考文献等

参考資料ウェッブサイト一覧

[環境問題]

- IUCN絶滅危惧種レッドリスト™(国際自然保護連合)　https://www.iucnredlist.org/
- 生物多様性と生態系サービスに関する地球規模評価報告書　政策決定者向け要約　(公益財団法人地球環境戦略研究機関)https://www.iges.or.jp/jp/pub/ipbes-global-assessment-spm-j/ja
- 我々の世界を変革する:持続可能な開発のための2030アジェンダ(外務省)
  https://www.mofa.go.jp/mofaj/files/000101402.pdf
- 地球温暖化観測推進事務局　http://occco.nies.go.jp/ondanka/graph.html

[貧困・政治問題など]

- 紛争、武器、軍備管理、軍縮などのデータ(ストックホルム国際平和研究所)https://www.sipri.org/
- 各国の軍事費のデータ(グローバルノート)https://www.globalnote.jp/p-data-g/?dno=3230&post_no=3871
- 経済不平等に関するデータ(World Inequality Report)　https://wir2018.wid.world/
- 世界の貧困に関するデータ(世界銀行)　https://www.worldbank.org/ja/news/feature/2014/01/08/open-datapoverty
- 各国経済・貧困の状況については以下図表1.1から1.4(同上)http://wdi.worldbank.org/table
- 相対的貧困率等に関する調査分析結果について(厚生労働省)https://www.mhlw.go.jp/seisakunitsuite/soshiki/toukei/dl/tp151218-01_1.pdf
- 令和元年　障害者雇用状況の集計結果(同上)　https://www.mhlw.go.jp/stf/newpage_08594.html
- 貧困・格差の現状と分厚い中間層の復活に向けた課題(同上)　https://www.mhlw.go.jp/wp/hakusyo/roudou/12/dl/02-1.pdf
- 性別による不自由・不平等のデータ(国際連合広報センター)　https://www.unic.or.jp/activities/economic_social_development/sustainable_development/sustainable_development_goals/gender_equality/
- 民主国家と専制君主国家に関するデータ(Our World in Data)https://ourworldindata.org/grapher/numbers-of-autocracies-and-democracies?country=~OWID_WRL
- 世界における政治的自由に関するデータ(同上)　https://ourworldindata.org/democracy#political-freedom-is-a-very-recent-achievement
- 令和二年度予算(財務省)　https://www.mof.go.jp/budget/budger_workflow/budget/fy2020/fy2020.html

主な参考文献 (なお脚注に記載済みの引用・参考文献に関しては記載を省略しています)

- アマルティア・セン『貧困と飢饉』黒崎卓、山崎幸治訳　岩波書店　2000年
- アリストテレス『ニコマコス倫理学(上)(下)』高田三郎訳　岩波文庫　2009年改訂版
- ルドルフ・フォン・イェーリング『権利のための闘争』村上淳一訳　岩波文庫　1982年
- 宇沢弘文『社会的共通資本』岩波新書　2000年
- 宇都宮芳明『倫理学入門』ちくま学芸文庫　2019年
- イマニュエル・カント『道徳形而上学原論』篠田英雄訳　岩波文庫　1976年改訂版
- くさばよしみ編『世界でいちばん貧しい大統領からきみへ』汐文社　2015年
- ジョセフ・E・スティグリッツ『世界の99%を貧困にする経済』楡井浩一、峯村利哉訳　徳間書店　2012年
- ジョン・スチュアート・ミル『自由論』塩尻公明、木村健康訳　岩波文庫　1971年

〈著者略歴〉

梛 琴葉（なぎ　ことは）

大阪府生まれ。同志社大学大学院文学研究科博士後期課程単位取得退学。
2019年３月ハーバード大学エクステンションスクールより、哲学・倫理学コースの修了証明書授与。本書は、2017年マイケル・サンデル教授（政治哲学）の「正義論」受講やジョアンナ・バルダイン教授（経済哲学）の授業において提出した、「モラルコンパス～哲学的な経済制度とはなにか」のレポートから構想を得て執筆した、初の著書となる。
ヘルシンキ大学大学院社会学研究科（倫理学）への留学やブータン王国シェムガン県（同王国の最貧県と言われている）での教師（小学校ならびに高等学校）としての経験も、本書執筆の動機となる。

モラルコンパス
今を生き抜くための哲学

2021年８月12日　第１版第１刷発行

著　者　　梛　琴葉

発　行　　株式会社ＰＨＰエディターズ・グループ
〒135-0061　東京都江東区豊洲5-6-52
☎03-6204-2931
http://www.peg.co.jp/

印　刷
製　本　　シナノ印刷株式会社

© Kotoha Nagi 2021 Printed in Japan
ISBN978-4-909417-83-1
※本書の無断複製（コピー・スキャン・デジタル化等）は著作権法で認められた場合を除き、禁じられています。また、本書を代行業者等に依頼してスキャンやデジタル化することは、いかなる場合でも認められておりません。
※落丁・乱丁本の場合は、お取り替えいたします。